So you <u>really</u> want to le

# French

## Book Two

Published by Galore Park Publishing Ltd, 19/21 Sayers Lane, Tenterden, Kent TN30 6BW
www.galorepark.co.uk

Illustrations by Ian Douglass

Printed by Replika Press, India

ISBN: 978 1902984 51 3

First published 2005, reprinted 2010

Accompanying this course:
Answer book     978 1 902984 65 0
Audio CD set     978 1 902984 52 0

Details of other Galore Park publications are available at www.galorepark.co.uk

ISEB Revision Guides, publications and examination papers may also be obtained from Galore Park.

# So you really want to learn

# French

## Book Two

### Nigel Pearce B.A., M.C.I.L.

**Editor: Joyce Capek**

GALORE PARK

www.galorepark.co.uk

# Table des matières

## Introduction

## Chapitre 1

## Chapitre 2

## Chapitre 3

# Chapitre 3 *continued*

# Chapitre 4

# Chapitre 5

# Chapitre 6

## Chapitre 6 continued

## Chapitre 7

## Chapitre 8

## Chapitre 9

# Chapitre 9 continued

# Chapitre 10

# Summary of Grammar

## Summary of Grammar continued

## Verb tables

## Irregular verb tables

## Vocabulaire français – anglais

## English – French vocabulary

# Preface

Welcome to *So you really want to learn French Prep Book 2*!

Book 1 took the student through the present tense, and all the basics of French grammar and language structure, for the first couple of years of study. Book 2 moves the learner on through the past and future tenses, as well as giving more practice in the present. Through the use of a storyline and dialogues, increasingly advanced work is gently introduced and practised, in the same style of full, clear explanation as users of Book 1 will have appreciated.

Towards the end of the book, two revision chapters encapsulate the salient points of Books 1 and 2, giving learners another chance to refine and consolidate their knowledge through the numerous practice exercises.

Book 3 will complete the journey, broadening the learner's vocabulary and experience of the practical use of the language, as well as offering plenty of opportunities to work on exam-style questions.

# Acknowledgements

As the author of this series, I am indebted as ever to Nicholas Oulton, the founder of Galore Park, for the opportunity to put my enthusiasm for French into print, and to the wonderfully sympathetic editing of my counterpart 'in another place' Joyce Capek, the author herself of several French language manuals. I continue to be stunned by the brilliant illustrations of Ian Douglass, who manages every time to convey in imagery exactly what I am trying to put across in words, and am grateful for the tireless proof-reading of Mme Yvette Redgwell of Hill House School in London.

# Photo credits

The publishers are grateful to the following for permission to reproduce the photographs used in this book:
David Noble Photography: pages 14, 23, 56, 103, 115; Nicholas Oulton: page 43; Jessie Prynne: page 47; Parc du Futuroscope: page 56; Steve Allen/Science Photo Library: page 89; Le Cadre Noir: page 73; Monaco Tourist Office: page 128; Offside Sports Photography: page 139.

# Introduction

## About this book

Welcome to *So you really want to learn French Book 2*! Well, if you have got this far, you clearly do! With this second book, you will be able to continue to master the basics of the French language and how it all works. In Book 1, you learnt a lot about the Present Tense. In this volume, you will be introduced to various ways to talk and write about the past and future, as well as meeting new challenges through the vocabulary of each topic and the expressions to go with it.

Hopefully, you will now be feeling confident enough to begin actually to enjoy what you are studying, and to take a real interest in the culture and traditions of France, as well as the language which has the power to bring it all to life for you.

## A change of accent

Users of this book will notice that, unlike Book 1, accents have not been put on capital letters. This is, in fact, normal practice in French, and, now that many of the uses of accents have been learnt and practised in Book 1 (and learners are older and wiser!), there should not be any difficulty in following the established convention.

Thus, a sentence beginning with the word éventuellement (= possibly) will begin:

Eventuellement, ...

We just thought you ought to know.

# Chapitre 1

## Les quatre saisons

In this chapter, you will learn how to speak and write about the four seasons of the year and begin to use more words and expressions to do with free-time activities.

**a.** le printemps

**b.** l'été

**c.** l'automne

**d.** l'hiver

Au printemps, Georges et Martine aiment promener le chien. En été, ils aiment aller à la plage. En automne, ils jouent aux boules dans le village. En hiver, toute la famille fait du ski dans les Alpes.

## Exercice 1.1

Ecoute le CD et lis le dialogue en même temps:

*Martine.*  Qu'est-ce que tu aimes faire au printemps?
*Georges.*  J'aime promener le chien et jouer au rugby avec les copains.
*Martine.*  Moi je n'aime pas le rugby, c'est dangereux!
*Georges.*  Quand il fait beau on peut faire de longues promenades.
*Martine.*  Oui. Moi, j'aime faire de l'escalade.
*Georges.*  Mais l'escalade, c'est dangereux aussi!

| | | | |
|---|---|---|---|
| le printemps | spring | en automne | in autumn |
| au printemps | in spring | l'hiver (m.) | winter |
| l'été (m.) | summer | en hiver | in winter |
| en été | in summer | il fait beau | it's nice weather |
| l'automne (m.) | autumn | l'escalade | (rock) climbing |

Réponds en anglais aux questions:

1.  What does Georges say about springtime?
2.  What does Martine think of that?
3.  Why does Martine like the spring?
4.  What is Georges' reaction?

## Exercice 1.2

Ecoute le dialogue, et puis fais les exercices:

*Martine.*  Quelle est ta saison préférée? Tu aimes l'été?
*Georges.*  Ah oui. J'adore l'été. En été on va en vacances au bord de la mer.
*Claire.*  C'est vrai. On peut se bronzer ou se baigner.
*Jean-Pierre.*  Tu aimes ça? Moi je préfère faire de la planche à voile.

| | |
|---|---|
| la saison | the season |
| à la plage | to the beach; at the beach |
| aller en vacances | to go on holiday |
| bronzer | to sunbathe |
| se baigner | to go for a swim; to bathe |
| faire de la planche à voile | to go windsurfing |

Regarde les dialogues (Exercices 1.1 et 1.2). Copie et complète, comme dans l'exemple:

Exemple: En hiver Georges ... du ski. > En hiver, Georges fait du ski.

1. Au printemps, Georges et Martine ... promener le chien.
2. En été, Claire ... se baigner à la plage.
3. Georges adore l'été, parce qu'on ... en vacances.
4. Au printemps, Georges ... au rugby avec ses copains.
5. Jean-Pierre ... faire de la planche à voile.

## Les saisons et le temps

*The seasons and the weather*

(a) Les quatre saisons:

The seasons have their own special phrases in French. Notice first of all how to say 'in' followed by a season:

**en** été **en** automne **en** hiver but: **au** printemps*

(*because printemps does not begin with a vowel or silent 'h').

(b) Quel temps fait-il?

The weather is quite easy to talk about in French. Here, we will learn how to describe it in the present tense, saying what the weather is like *now, often* or *usually*.

**Using the verb faire:**

| | |
|---|---|
| il fait beau | it's fine |
| il fait mauvais | it's bad weather |
| il fait chaud | it's hot |
| il fait froid | it's cold |
| il fait bon | it's pleasant, warm |
| il fait frais | it's chilly |
| il fait du brouillard | it's foggy |
| il fait 27° | it's 27° |
| il fait de l'orage | it's stormy |
| Il fait du vent | it's windy |
| Il fait du soleil | it's sunny |

**Using other verbs:**

| | |
|---|---|
| il pleut | it rains; it's raining |
| il neige | it snows; it's snowing |
| il gèle | it freezes; it's freezing |
| le soleil brille | the sun shines; the sun is shining |

**Using il y a:**

| | |
|---|---|
| il y a du vent | it's windy |
| il y a du soleil | it's sunny |
| il y a du brouillard | it's foggy |
| il y a des éclairs | there is lightning |
| il y a des nuages | it's cloudy |

Regarde la météo sur la carte: peux-tu finir ces phrases?
*Look at the weather on the map: can you finish these sentences?*

(a)  Dans le **n**ord il fait …
(b)  Dans le **s**ud il y a …
(c)  Dans l'**e**st le ciel* est …
(d)  Dans l'**o**uest il fait …

* le ciel = the sky

A few weather adjectives:

| | |
|---|---|
| couvert | overcast; grey |
| glacial | icy |
| ensoleillé | sunny |
| nuageux | cloudy |
| merveilleux | wonderful |
| affreux | awful |
| agréable | pleasant |
| désagréable | unpleasant |

## Your 'faire' weather friend!

A 'fair weather friend' is someone who is only your friend if it suits them at that moment. But this little phrase may help you to remember the following: The verb most often used in weather expressions is faire (il **fait** beau etc.). Thus, when we ask what the weather is like, we say: Quel temps **fait**-il?

Exemple: Quel temps fait-il?  >  Il fait beau, mais froid.
What's the weather like?  >  It's fine, but cold.

Sometimes we might like to add more detail, using:

| | |
|---|---|
| ne … pas | Il **ne** fait **pas** chaud. = It is**n't** hot. |
| très | Il fait **très** froid. = It's **very** cold. |
| trop | Il fait **trop** froid. = It's **too** cold. |
| assez | Il fait **assez** chaud. = It's **quite** hot. |
| mais | Il fait froid, **mais** il y a du soleil. = It's cold, **but** it's sunny. |
| souvent | Il ne neige pas **souvent**. = It does not snow **often**. |
| quelquefois | Il fait mauvais **quelquefois**. = The weather is bad **sometimes**. |
| maintenant | Il pleut **maintenant**. = It's raining **now**. |
| d'habitude | **D'habitude** il fait beau. = **Usually** it's fine. |

Incidentally, you have come across the word quel (which ...?) spelt two different ways. Quel is followed by masculine nouns, quelle by feminine ones. They both add an -s in the plural.

## Exercice 1.3

Quel temps fait-il?

Regarde les images et puis réponds à la question, comme dans l'exemple:

Exemple: 1: Il fait très froid.

## Saying 'in' and 'on' with seasons, months, days, towns and countries: à and en

You've already learnt about seasons, and days (Book I, page 50), but this is included here just to keep everything in one place! Study and learn these examples:

| Months, seasons and days: | | Countries: | |
|---|---|---|---|
| **in** January | **en** janvier* | **in** Scotland | **en** Ecosse (f.) |
| **in** spring | **au** printemps | **in** Wales | **au** Pays de Galles (m.) |
| **in** summer | **en** été | **in** the USA | **aux** Etats-Unis (pl.) |
| **in** autumn | **en** automne | | |
| **in** winter | **en** hiver | **Towns:** | |
| **on** Tuesday | mardi | **in** Marseille | **à** Marseille |
| **on** Tuesdays | **le** mardi | | |

\* or **au mois de** (= in the month of)

e.g: au mois de janvier = in the month of January

## Exercice 1.4

Vrai ou faux? Copie les phrases vraies, et corrige les phrases fausses:

*True or false? Copy the true sentences and correct the false ones:*

1.  En Afrique il fait chaud.
2.  Il ne pleut pas à Manchester.
3.  A Cardiff, il fait 30° en décembre.
4.  Il neige à la montagne.
5.  En France, en été, il fait chaud.
6.  Au printemps les fleurs poussent*.
7.  Dans le désert il pleut beaucoup.
8.  En hiver, il fait chaud en Ecosse.
9.  Il pleut en Angleterre.
10. Il ne neige pas souvent en Suisse.

\* pousser = to grow

## Exercice 1.5

Traduis en français:

1. It is sunny today, but it is cold.
2. In the summer, it is warm.
3. In the autumn, it is fine, but it is not hot.
4. In winter, it snows and it is cold.
5. It does not snow in Africa.
6. It is warm but it is not very hot.
7. In France, it snows sometimes.
8. Sometimes, it is quite hot.
9. It is cold today.
10. In spring, it is quite cold.

## Exercice 1.6

Traduis en anglais:

1. Il fait chaud et beau.
2. Il y a du soleil.
3. En Angleterre, il fait beau quelquefois.
4. Il pleut, mais il fait assez chaud.
5. Il fait très froid aujourd'hui.
6. En Suisse, il neige au printemps.
7. Il ne fait pas froid en été.
8. Nous jouons au tennis quand il fait beau.
9. Mets ton pull – il fait frais.
10. Il y a du vent en automne.

## Exercice 1.7

Lis et écoute le passage et puis fais l'exercice:

Au mois de mars, monsieur Banane va au marché le vendredi. En été, il y a un marché dans son village deux fois par semaine, le vendredi et le samedi. Au printemps, il y a un marché une fois par semaine, le vendredi. En juillet, monsieur Banane va en vacances. Il va en Tunisie, où on parle français.

Trouve le français pour:

1. In March.
2. On Fridays.
3. To the market.
4. In spring.
5. In summer.
6. On Saturdays.
7. In July.
8. On holiday.
9. To Tunisia.
10. French is spoken.

## Les verbes: lire

Un verbe irrégulier.

> lire = to read
> je lis       nous lisons
> tu lis       vous lisez
> il lit        ils lisent
> elle lit      elles lisent

*Quand il pleut, je lis un roman.*

## Exercice 1.8

Voici un extrait d'une lettre. Lis l'extrait, et puis fais l'exercice.
*Here is an extract from a letter. Read the extract and then do the exercise.*

Il ne pleut pas souvent en France en été. Quelquefois il neige en hiver, mais d'habitude il fait beau et assez froid. A Charleville, il y a une patinoire et deux cinémas, mais il n'y a pas de piscine. La patinoire est ouverte le lundi et le jeudi, sauf en été. En été, elle est fermée. Au mois de juillet je vais venir en Angleterre: je vais rester à Bristol du 4 au 16. D'habitude on va en Italie, mais cette année c'est différent! Maman veut manger du rosbif dans un restaurant et Papa veut boire de la bière anglaise!

Ecris une lettre en français. Dis que:
*Write a letter in French. Say that:*

1.      it rains often in England;
2.      it is sunny sometimes;
3.      in … (your town), there is a cinema and a swimming pool;
4.      the cinema is open on Fridays, Saturdays and Sundays;
5.      the pool is always open, except on Thursdays;
6.      you are going to go to France in the summer;
7.      you are going to stay in Avignon from the 8th to the 25th August;
8.      you usually go to Scotland for the summer holidays;
9.      but this year it's different …
10.     … because your mother wants to have some French food!

Rappel:
*Remember:*
Letters are set out in the following way:

> At the top right, the name of the town you are in, then the date:
>
> e.g. Oxford, le 21 août.
>
> *To begin the letter:*
> Cher … (m.)/Chère … (f.)
> (Dear …)
>
> *Then the main body of the letter …*
>
> *Finally:*
> Amitiés,
>
> *then write your name.*

| | |
|---|---|
| venir (irreg.) | to come |
| rester | to stay |
| cette année | this year |
| prendre (irreg.) | to take; to have food or drink; to have breakfast, lunch, dinner |
| boire (irreg.) | to drink |
| le rosbif | roast beef (also the French nickname for an Englishman!) |
| la bière | the beer |
| britannique | British |

## Les verbes: prendre et boire

These two irregular verbs are essential for talking about food and drink.
prendre means 'to take', but is also used for eating. boire means 'to drink'.

prendre = to take; to have a meal

| | |
|---|---|
| je prends | nous prenons |
| tu prends | vous prenez |
| il prend | ils prennent |
| elle prend | elles prennent |

boire = to drink

| | |
|---|---|
| je bois | nous buvons |
| tu bois | vous buvez |
| il boit | ils boivent |
| elle boit | elles boivent |

## Exercice 1.9

Ecris ces expressions en français, avec la bonne forme du verbe:

1. Tu (prendre) un coca?
2. Non, je (boire) du café.
3. Nous (boire) beaucoup d'eau.
4. Ils (prendre) le petit déjeuner au café.
5. Elle (prendre) de la limonade.
6. Je (prendre) du jus d'orange.
7. On (boire) du thé en Angleterre.
8. Elles (boire) du chocolat chaud.
9. Vous (prendre) du sucre?
10. Martin (boire) du sirop de fraise à l'eau.

## Un peu de grammaire:
## Les « déterminants »: saying this, that, these and those

How to say 'this, that, these, those' before nouns.

Exemple: cette année = this year *or* that year

The first thing to note about these words, called determiners, is that the singular ones can ALL mean either 'this' or 'that'. The plural word means either 'these' or 'those'.

|  |  | this/that |  | these/those |
|---|---|---|---|---|
| m. | **ce** | ce garçon<br>this boy/that boy | **ces** | ces garçons<br>these boys/those boys |
| m. before<br>vowel or<br>silent 'h' | **cet** | cet homme<br>this man/that man | **ces** | ces hommes<br>these men/those men |
| f. | **cette** | cette fille<br>this girl/that girl | **ces** | ces filles<br>these girls/those girls |

Remember, **ce** garçon can mean 'this boy' **or** 'that boy', **ces** filles can mean 'these girls' **or** 'those girls', etc. If you wish to make it clear which one you mean, simply put **-ci** after the noun for 'this' and 'these', and **-là** (and don't forget that accent!) for 'that' and 'those'.

Thus:

Ce garçon-ci est mon frère; ce garçon-là est mon cousin.
This boy is my brother; that boy is my cousin.

We shall practise these words more when we look in detail at comparison, later on.

## Exercice 1.10

Ecris ces noms avec le bon déterminant, comme dans l'exemple:

Exemple: le garçon   >   **ce** garçon

| | | | |
|---|---|---|---|
| 1. | le crayon | 11. | l'ami |
| 2. | la carte | 12. | les cahiers |
| 3. | le livre | 13. | l'enfant |
| 4. | la fenêtre | 14. | le stylo |
| 5. | les portes | 15. | la gomme |
| 6. | la règle | 16. | la chambre |
| 7. | le tableau | 17. | la cuisine |
| 8. | les chaises | 18. | les pièces |
| 9. | la table | 19. | les jardins |
| 10. | le prof | 20. | le beurre |

## Exercice 1.11

Choisis 5 réponses de l'Exercice 1.9. Traduis ces réponses en anglais.

## Exercice 1.12

Ecoute le dialogue et puis fais les exercices:

*Martine.*   C'est quand, ton anniversaire?
*Claire.*   Tu oublies tout! C'est au printemps …
*Martine.*   Ah oui! Que je suis bête!
*Claire.*   C'est le dix-neuf mars, comme Georges!
*Martine.*   C'est vrai. Pardon!
*Georges.*   Et toi, Jean-Pierre? Ton anniversaire, c'est quand?
*Jean-Pierre.*   Moi, c'est le premier août, en été …
*Claire.*   … quand il fait beau et chaud!
*Martine.*   Vous partez où, en vacances?
*Jean-Pierre.*   D'habitude, on va dans les Landes, chez grand-mère.
*Claire.*   Mais cette année, on va passer quinze jours en Tunisie!
*Georges.*   En Tunisie? Génial! Vous allez manger du couscous …!
*Jean-Pierre.*   Eh oui! On va s'amuser!
*Claire.*   On va se baigner dans la mer chaude …
*Martine.*   Nous, on va louer une villa à Bandol.
*Claire.*   Chouette! C'est beau là-bas. N'oublie pas ton appareil photo!

| | |
|---|---|
| un appareil photo | a camera |
| chez | to the house of … |
| chez Paul | to Paul's house |
| comme | as; like (e.g. 'like Georges') |
| du couscous | couscous, a North African speciality |
| louer | to rent; to hire |
| oublier | to forget; to leave behind |

*continued on next page*

*continued from previous page*

| | |
|---|---|
| pardon! | sorry! |
| partir (irreg.) | to depart; to set off; to go away; to leave (intrans.) |
| passer | to spend (time); to pass |
| que je suis bête! | how silly I am! |
| quinze jours | a fortnight |
| s'amuser | to have a good time; to enjoy oneself |

Réponds en anglais aux questions:

1. What has Martine forgotten?
2. When is Georges's birthday?
3. What's the weather like at the time of Jean-Pierre's birthday?
4. Where do Jean-Pierre and Claire usually go for the summer holidays?
5. Where are they going this year?

## Exercice 1.13

Réunis les deux moitiés de phrase. Copie les phrases entières:

1. Martine oublie
2. En Tunisie on
3. Claire et Jean-Pierre
4. En été il
5. Le premier août

(a) mange du couscous.
(b) est en été.
(c) fait beau et chaud.
(d) la date de l'anniversaire de Claire.
(e) vont se baigner.

## Exercice 1.14

Traduis en français:

1. Claire forgets her camera.
2. Martine does not forget the birthday.
3. Martine and Georges are going to go to Bandol.
4. We usually go to England.
5. I am not going to Tunisia this year.
6. In Tunisia they eat couscous.
7. Jean-Pierre wants to have a good time.
8. In the summer, Claire spends a fortnight in Switzerland.
9. She wants to spend a week in Rome.
10. They are not going to go swimming.
11. It's warm but it's raining.
12. Georges and his mother are having* couscous.
13. In Tunisia, in the autumn, it's quite pleasant.
14. Claire's parents like Lyon when it's not too hot.
15. What's the weather like in Manchester today?

* Use prendre.

## Les verbes: partir

Un verbe irrégulier et important!

partir is an important verb because several other useful verbs follow the same pattern. You have met two of them in Book I.

---

partir = to depart; to set off; to go away

| | |
|---|---|
| je **pars** | nous **part**ons |
| tu **pars** | vous **part**ez |
| il **part** | ils **part**ent |
| elle **part** | elles **part**ent |

---

Other verbs like partir:

sortir = to go out      dormir = to sleep
sentir = to feel      mentir = to (tell a) lie
servir = to serve

This means that sortir, dormir, servir, sentir and mentir all have a three-letter stem in the singular and a four-letter stem in the plural:

tu **men**s     il **dor**t     elles **serv**ent     nous **sort**ons

This can be quite a good short cut to remembering how they are spelt, since all their endings follow the same pattern and you only need to learn those *once!*

## Exercice 1.15

Deux petits dialogues.
Travaillez à deux; puis à cinq. Préparez et présentez ces dialogues:

Des ami(e)s sont en vacances, au camping. Il est 23 h!

Petit dialogue 1:

| | |
|---|---|
| A. | Hé! Tu dors? |
| B. | Oui. Je dors. Et toi? |
| A. | Non! Je ne dors pas. Et toi, tu ne dors pas! Tu mens! |
| B. | Oui je mens! |
| A. | Alors je sors. |

Petit dialogue 2:

| | |
|---|---|
| C. | Hé! Vous dormez? |
| D., E. | Oui! Nous dormons! |
| C. | Mais vous mentez! Vous ne dormez pas! |
| D., E. | Non! Nous ne dormons pas. Nous partons. |
| C. | Vous partez? |
| F. | Qu'est-ce qu'ils font? |
| G. | Ils partent ... |
| F. | Alors moi, je dors. |

## Exercice 1.16

Anne-Marie reçoit une lettre de sa correspondante Joselle qui habite en Suisse. Lis la lettre et puis fais l'exercice.

---

Genève, le 21 juin

Chère Anne-Marie,

Je suis ravie de recevoir ta dernière lettre. Alors, c'est bientôt les vacances! J'adore les vacances. D'habitude, nous allons en Italie ou en Grèce, parce que mes parents adorent le soleil et parce qu'ils s'intéressent beaucoup à l'histoire. C'est assez amusant, mais ma soeur et moi, on veut visiter la capitale de la France!

Alors cette année on va aller à Paris! On va louer un appartement près de la rivière! On ne va pas visiter les palais et les musées; on va faire du shopping dans les grands magasins, et on va manger dans des restaurants. C'est génial, n'est-ce pas?

Ecris-moi vite et raconte-moi tes projets de vacances!
Amitiés,

*Joselle*

---

Réponds à la lettre de Joselle.
Imagine que c'est toi, le/la correspondant/e de Joselle. Réponds à sa lettre en français.

## Exercice 1.17

Dans la lettre de Joselle, trouve le français pour:

1. I am delighted to...
2. They're very interested in history.
3. It's quite fun.
4. We want to visit the capital.
5. We're going to go to Paris.
6. We're going to rent.
7. Near the river.
8. It's brilliant, isn't it?
9. Write soon.
10. Your holiday plans.

## Exercice 1.18

Réponds à ces questions en anglais:

1. Where is Joselle as she writes the letter?
2. Where does her family normally go on holiday?
3. Why do they go there? (Give two reasons.)
4. Give two details about where they will be staying in Paris.
5. Give three things Joselle says they will be doing.

## Vive la France!

Paris est la capitale de la France. C'est une grande ville historique et très touristique, située sur les bords de la Seine, une des rivières principales de France. Il y a beaucoup de monuments célèbres, comme par exemple, la Tour Eiffel, l'Arc de Triomphe, la cathédrale de Notre Dame. Mais il y a aussi les grands boulevards comme l'avenue des Champs-Elysées, les petites rues du Quartier Latin, et les grands théâtres comme l'Opéra. Le Président de la République habite et travaille à Paris.

(a)　Ecris quelques lignes en anglais, sur Paris.

(b)　Copie et complète:
1.　Paris est la … de la France.
2.　A …, on peut visiter les … célèbres.
3.　Il y a beaucoup de grands théâtres, comme …
4.　La rivière qui coule à Paris s'appelle …
5.　Le … travaille à la capitale. Il s'appelle …*

* *How good is your general knowledge?*

(c)　Copie seulement les phrases qui sont vraies:
1.　Le Président habite à Lyon.
2.　L'avenue des Champs-Elysées est un théâtre.
3.　La cathédrale de Paris s'appelle Notre Dame.
4.　A Paris on peut visiter beaucoup de musées.
5.　La Tour Eiffel est un grand boulevard.

# Vocabulaire 1

**Des mots indispensables de ce chapitre:**

**La météo**

| | |
|---|---|
| la météo | the weather (forecast) |
| il fait beau | it's fine |
| il pleut | it's raining |
| il neige | it's snowing |
| il fait chaud | it's hot |
| il fait froid | it's cold |

**Les saisons**

| | |
|---|---|
| la saison | the season |
| le printemps | spring |
| l'été (m.) | summer |
| l'automne (m.) | autumn |
| l'hiver (m.) | winter |

**Les verbes**

| | |
|---|---|
| louer | to rent; to hire |
| boire | to drink |
| oublier | to forget; to leave behind |
| partir (irreg.) | to depart; to set off; to go away; to leave |
| passer | to spend (time); to pass |
| prendre (irreg.) | to take; to have food, drink, breakfast, lunch, dinner |
| rester | to stay |
| s'amuser | to have a good time; to enjoy oneself |
| commencer à (+ infin.) | to begin to |
| venir (irreg.) | to come |

**D'autres mots importants**

| | |
|---|---|
| chez | to the house of …; at the house of … |
| chez Jean | to/at Jean's house |
| comme | like (e.g. like Georges), as (e.g. as it is hot) |
| le côté | the side |
| en vacances | on holiday |
| pardon! | sorry! |
| sauf | except |
| la sortie | the exit |
| l'appareil photo (m.) | the camera |
| un(e) seul(e) | only one |
| souvent | often |
| quelquefois | sometimes |
| d'habitude | usually |

## Bravo!

Tu as fini le premier chapitre!

In Chapter 2, you will learn all about the past tense, some new vocabulary and verbs and practise what you have done so far.

# Chapitre 2

## Après les vacances

In this chapter, you will learn all about a whole range of expressions using **avoir**, and more words and expressions to do with free-time activities and travel. But, most importantly, you will learn how to speak and write in the past tense.

J'ai faim!

J'ai froid!

J'ai chaud!

J'ai soif!

## J'ai faim! – idioms using the verb avoir

What's an 'idiom'? No, it isn't someone slightly less clever than you! It is a phrase which, while expressing the same idea as a phrase in another language, uses completely different words. For example: the English phrase 'I have been learning French *for* five years' becomes 'I am learning French *since* five years' when you say the same thing in French. Many expressions which use avoir in French do not use the verb 'to have' in English. In the pictures opposite, there are four examples. You have done one before, a long time ago! It was: J'**ai** huit ans = 'I **am** eight years old'. Idiom is one of those things which make languages interesting!

There will be more examples of avoir idioms as we progress. For now, here are a few to start you off:

| | |
|---|---|
| avoir faim = to be hungry | avoir peur = to be afraid |
| avoir soif = to be thirsty | avoir raison = to be right |
| avoir chaud = to be hot | avoir tort = to be wrong |
| avoir froid = to be cold | avoir mal = to be in pain |

## Exercice 2.1

Write out in full the verb avoir chaud = 'to be hot'. It is just the verb avoir in the present tense with the word chaud after each part. Give the English for each expression.

For example, using avoir froid:

| | |
|---|---|
| j'ai froid | I am cold |
| tu as froid | you are cold |
| il … | |

## Exercice 2.2

Traduis en français:

1. She is cold.
2. We are hungry.
3. I am thirsty.
4. You (s.) are hot.
5. They (m.) are hungry.
6. He is right.
7. You (pl.) are thirsty.
8. We (nous) are wrong.
9. They (f.) are thirsty.
10. We (on) are in pain.

## Idioms with avoir in the negative form

To say 'I am not hungry', 'she isn't cold', and so on, all you do is make the avoir part negative, then add faim, soif, chaud or froid last: Je n'ai pas faim, elle n'a pas froid, etc.

## Exercice 2.3

Ecris à la forme négative, puis traduis tes réponses en anglais:

1. J'ai faim.
2. Tu as soif.
3. Il a peur.
4. Elle a froid.
5. Nous avons soif.
6. Vous avez mal.
7. Tu as chaud.
8. Ils ont froid.
9. Vous avez faim.
10. Elles ont tort.
11. Tu as froid.
12. J'ai froid.
13. Elle a raison.
14. Ils ont chaud.
15. Nous avons faim.

CD1:
5

## Exercice 2.4

Passe le CD pour écouter le dialogue:

Georges est dans le jardin devant la maison. Il parle au voisin, Monsieur Simonneau.

*M. Simonneau.* Bonjour Georges! Ça va?

*Georges.* Bonjour Monsieur Simonneau. Ça va bien, merci. Et vous?

*M. Simonneau.* Ça va. Déjà rentré de vacances?

*Georges.* Oui. Et vous?

*M. Simonneau.* Pas de vacances pour moi! Je suis très content de travailler dans le jardin! Mais toi, tu es très bronzé!

*Georges.* Ah oui. Le soleil a brillé tous les jours à Bandol!

*M. Simonneau.* Eh, qu'est-ce que tu as fait, en vacances?

*Georges.* Bien moi, j'ai nagé dans la mer, j'ai fait de la planche à voile, j'ai joué au foot sur la plage, j'ai grimpé aux arbres, puis on a fait un pique-nique, on a aussi fait des promenades …!

*M. Simonneau.* Formidable!

| | |
|---|---|
| le voisin | the neighbour (m.) |
| déjà rentré de vacances? | already back from holiday? |
| content de (+ infin.) | happy to |
| bronzé | tanned |
| briller | to shine |
| le soleil a brillé | the sun shone |
| tous les jours | every day |
| qu'est-ce que tu as fait? | what did you do? |
| nager | to swim |
| j'ai nagé | I swam |
| faire de la planche à voile | to go windsurfing |
| j'ai fait de la planche à voile | I went windsurfing |
| faire un pique-nique | to have a picnic |
| j'ai joué | I played |
| la plage | the beach |
| grimper | to climb |

## Talking or writing about past events (1)
## Le passé composé

You probably noticed how Georges says 'the sun **shone**', 'I **went** windsurfing', 'I **swam**', to describe the things he **did** on his holiday. He is speaking in the past, using the passé composé. You should also have noticed that this tense uses something we are all familiar with – the present tense of the verb avoir = 'to have'. The other part, telling you exactly what it was you did, is called the 'past participle', or participe passé. Past participles are the only new things to learn here, and they are pretty easy. First, all past participles of 1st, 2nd and 3rd group regular verbs follow a pattern:

| | | | |
|---|---|---|---|
| -er verbs: | past participles end in -é | nager: | nagé |
| -ir verbs: | past participles end in -i | finir: | fini |
| -re verbs: | past participles end in -u | vendre: | vendu |

One thing we have to get straight right from the start is that there are at least two ways of saying this tense in English, and only one in French! This may sound difficult, but you just need to **get used to it!**

| | | |
|---|---|---|
| J'ai nagé. | means | I have swum. (using 'j'ai' just like 'I have') |
| | or: | I swam. |
| Il a fini. | means | He has finished. |
| | or: | He finished. |
| Vous avez vendu. | means | You have sold. |
| | or: | You sold. |

The form using 'have' or 'has' is the perfect tense. The shorter form ('I swam', 'He did', etc.) is called the 'simple past'.

## Exercice 2.5
## Let's get used to it!

Copie, avec les *deux* versions anglaises:

Exemple: J'ai nagé. = I have swum *or* I swam.

1. J'ai fini.
2. J'ai mangé.
3. J'ai regardé.
4. J'ai trouvé.
5. J'ai donné.

J'ai nagé.

## Exercice 2.6

Now a few more, using not just j'ai, but also other parts of avoir:
Copie, et traduis en anglais:

Exemple: Il a écouté. = He has listened *or* He listened.

1.  Il a fermé.
2.  Tu as trouvé.
3.  Il a mangé.
4.  Elle a rangé.
5.  Nous avons fini.
6.  Vous avez acheté.
7.  Elles ont joué.
8.  Ils ont gardé.
9.  Tu as marché.
10. J'ai parlé.

## Exercice 2.7

Utilise les verbes suivants pour dire ce que tu as fait au weekend:

*Use the following verbs to say what you did last weekend.* (Don't worry if you didn't do these things - make it up!)

1.  regarder
2.  manger
3.  nager
4.  jouer
5.  acheter

## Vivent les verbes irréguliers!

Now for the past participles of a few irregular verbs.

Sharp verb-spotters may already have noticed that the past participle of the verb faire is **fait**:

J'ai **fait** de la planche à voile. = I **went** wind-surfing.

It is important that you learn the past participles of irregular verbs really well, because some are not what you would expect. We'll start off with a few now, and do some more later.

| l'infinitif | le participe passé |
|---|---|
| faire | fait |
| avoir | eu |
| être | été |
| lire | lu |
| écrire | écrit |
| prendre | pris |

## Exercice 2.8

Ecris en anglais:

Rappel: Elles ont visité. = They have visited; They visited.

1.  Elles ont fait leurs devoirs.
2.  J'ai pris quatre bananes.

3. Nous avons été au Maroc.
4. J'ai lu tous les livres de Simenon.
5. Il a écrit à Michèle.
6. Nous avons fait de la planche à volle.
7. Vous avez pris du café.
8. Tu as lu ma lettre?
9. Ils ont été chez moi.
10. J'ai écrit un message.

## Exercice 2.9

To show how *really* brilliant you already are at the passé composé, try the following exercise, using the verbs we've just looked at.

Ecris en français:

(Rappel: Subject pronoun (**je**, **tu**, **il**, etc.) THEN part of **avoir** THEN **past participle**)

1. She has done her homework.
2. I had three éclairs[1].
3. You (s.) have been ill[2].
4. We have read the book.
5. They have written to their aunt.
6. You (pl.) did some windsurfing.
7. She had an orange.
8. I have been in France.
9. We (on) have read the notice[3].
10. You (s.) wrote a letter.

[1] an éclair = un éclair
[2] ill = malade
[3] a notice = un avis

CD1:
6

## Exercice 2.10

Passe le CD pour écouter le dialogue:

*Georges.* J'ai fait des dessins aussi, et j'ai pêché.
*M. Simonneau.* Tu as attrapé des poissons?
*Georges.* Eh oui! Bien sûr!
*M. Simonneau.* Et tes parents? Et Martine?
*Georges.* Mes parents ont joué au tennis et Martine a nagé dans la piscine du camping.
*M. Simonneau.* Tes parents ont joué au tennis? Moi aussi j'adore le tennis!
*Georges.* Et Martine a lu des histoires d'amour.
*M. Simonneau.* C'est normal, c'est une fille! Qu'est-ce que tu as dessiné?
*Georges.* J'ai dessiné des bateaux. J'ai aussi dessiné la voiture de Papa.
*M. Simonneau.* Regarde. J'ai trouvé ça dans le jardin.
*Georges.* Qu'est-ce que c'est?
*M. Simonneau.* C'est une vieille boîte en argent!
*Georges.* Ça alors!

| | |
|---|---|
| le camping | the campsite |
| une histoire d'amour | a love story |
| un bateau | a boat |
| ça | that (i.e. 'that thing') |
| une boîte | a box |
| en argent | (made) of silver |
| ça alors! | wow! |
| bien sûr! | of course! |

Réponds aux questions en anglais:

1. What did Georges do on holiday apart from windsurfing and swimming?
2. Who played tennis?
3. What did his sister Martine do?
4. What does M. Simonneau think about what Martine did?
5. Where did M. Simonneau find the box?

Now copy all the sentences in Exercice 2.9 that are in the passé composé.

## Exercice 2.11

Lis et écoute le passage, puis fais l'exercice.

Georges a passé les grandes vacances avec toute la famille à Bandol, un port de la Côte d'Azur en France. A Bandol, on peut faire de la voile, et il y a toujours beaucoup de grands yachts amarrés au port de plaisance. Mais on peut faire beaucoup d'autres choses aussi. Après les grandes vacances, Georges parle au voisin, M. Simonneau. M. Simonneau demande à Georges, «Qu'est-ce que tu as fait en vacances?». Georges a fait beaucoup de choses. Il a fait de la planche à voile, il a nagé dans la mer, il a joué au foot sur plage, il a attrapé des poissons, et il a dessiné. Georges dessine bien. Sa soeur Martine a lu des bandes dessinées romantiques. Soudain, M. Simonneau montre à Georges une petite boîte en argent. Il a trouvé la boîte dans son jardin. Elle est très vieille, et très sale. Elle est noire! Georges regarde la boîte.

| | |
|---|---|
| les grandes vacances (f.pl.) | the summer holidays |
| la Côte d'Azur | the Côte d'Azur; the eastern French Mediterranean coast |
| amarrer | to moor (a boat) |
| un port de plaisance | a marina |
| une bande dessinée («BD») | a cartoon strip; a 'comic' |
| bien | well |
| soudain | suddenly |
| montrer | to show |
| sale | dirty |

Lis le passage à haute voix *(out loud)*.

This is to practise your French accent. Play the CD, in small chunks if necessary, before you try to repeat the story. You can hear how good your accent is by comparing it with the CD.

Réponds aux questions en anglais:

1.  What sort of place is Bandol?
2.  Where exactly is it?
3.  What shows us that the little box has been there a long time?

## Exercice 2.12

Verb spotting!
Trouve 10 verbes au présent et 10 au passé composé dans le passage de l'Exercice 2.10.

## Exercice 2.13

Déchiffre ces mots des vacances de Georges!

| | | | | |
|---|---|---|---|---|
| ANGER | OLIVE | ERM | SCAAVCNE | NSEDRSIE |
| SOOSPIN | TOBIE | RAGNET | TORP | CLANPHE |

## Exercice 2.14

Copie et complète avec la bonne partie du verbe 'avoir' et puis traduis en anglais:

1. Georges … passé les grandes vacances à Bandol.
2. Il … fait beaucoup de choses.
3. Martine … lu des bandes dessinées.
4. M. Simonneau et Georges … discuté.
5. Les parents de Georges … joué au tennis.
6. J'… trouvé une boîte.
7. Vous … passé deux semaines en Egypte?
8. Oui, nous … visité les Pyramides.
9. Martine … fait de la voile?
10. Non, mais elle … dessiné.

| | |
|---|---|
| l'Egypte (f.) | Egypt |
| les Pyramides (f.pl.) | the Pyramids |
| faire de la voile | to go sailing |

## Exercice 2.15

Exerce-toi!
Practise!
Ecris ces phrases au passé composé, comme dans l'exemple:

Exemple: Marcel **mange** à la maison.  >  Marcel **a mangé** à la maison.

1. Georges **parle** à M. Simonneau.
2. Nathalie et Jean-Luc **discutent** pendant la pause.
3. Marie-Claire **écoute** la radio.
4. Maman **chante** ce matin.
5. Papa et Martine **sont** à Paris.
6. Je **fais** mes devoirs, et je **regarde** la télévision.
7. Georges et Nicole **pêchent** des poissons.
8. Vous **écoutez** les informations*?
9. Je **suis** malade.

   *les informations = information; the news

## Exercice 2.16

Maintenant, traduis tes réponses de l'Exercice 2.11 en anglais:
*Now, translate your answers to Exercise 2.11 into English:*

## Exercice 2.17

Ecris ces verbes en toutes lettres au passé composé:
*Write these verbs in full in the perfect tense:*

1.  chanter = to sing
2.  choisir = to choose
3.  vendre = to sell

With any luck, you will write the present tense of the verb avoir in full three times, with a different past participle for each verb! Remember, the past participles of the verbs in the exercise do not change, only the avoir part. It's the same in English:

e.g.  Vous **avez choisi**. = You **have chosen**.
    Il **a choisi**. = He **has chosen**.

'chosen' is the same for both.

## Exercice 2.18

Ecris une lettre en français. Décris des activités de vacances.

Begin by asking how your correspondant is (Comment vas-tu?), tell them that you are OK (Moi, ça va bien), then say:

(a)  that you have swum in the swimming pool of the hotel;
(b)  that you have done some windsurfing;
(c)  that your brother has caught some fish;
(d)  that you have played football on the beach; and
(e)  that your sisters have bought some nice clothes.

## Vive la France!

Les bandes dessinées sont extrêmement populaires en France, non seulement chez les enfants, mais aussi chez les adultes. Il y a beaucoup de BD pour les petits et pour les grands: des histoires romantiques ou comiques, des aventures historiques, des contes traditionnels. On connaît des BDs «françaises» dans le monde entier, surtout Tintin et Astérix. Mais il y a une surprise! Sais-tu que Tintin est *belge*? Son créateur s'appelle Hergé (prononcé «R.G.» – les deux initiales de son vrai nom Rémi, Georges) et il vient de Bruxelles.

(a)    Qu'as-tu compris?
       Ecris quelques lignes en anglais, sur les bandes dessinées en France.

(b)    Déchiffre!
       NITTNI      GHEER      SABNED      ENSESDSIE      TECNOS
       XESATRI     EBGLE      MIRE        EQOCMIU        ELXRBUELS

(c)    Amuse-toi!
       Choose any five French words from the last chapter, copy them out in 'mirror-writing' (where the letters and words face the wrong way). Now give them to your partner. Your partner must pronounce them correctly (the right way round!) in French and say what they mean.

## Vocabulaire 2

**Des mots indispensables de ce chapitre:**

**Les adjectifs**

| | |
|---|---|
| bronzé | tanned |
| content de (+ infin.) | happy to (…) |
| en argent | made of silver |
| sale | dirty |

**Les adverbes**

| | |
|---|---|
| bien | well |
| déjà | already |
| soudain | suddenly |
| tous les jours | every day |

**Les noms**

| | |
|---|---|
| le bateau | the boat |
| la boîte | the box |
| le camping | the campsite |
| les grandes vacances (f.pl.) | the summer holidays |
| la plage | the beach |
| le soleil | the sun |
| le/la voisin(e) | the neighbour (m./f.) |

**Les verbes**

| | |
|---|---|
| briller | to shine |
| faire de la planche à voile | to go windsurfing |
| faire de la voile | to go sailing |
| faire du camping | to go camping |
| montrer | to show |
| nager | to swim |

**Les expressions avec avoir**

| | |
|---|---|
| avoir faim | to be hungry |
| avoir soif | to be thirsty |
| avoir chaud | to be hot |
| avoir froid | to be cold |
| avoir peur | to be afraid |
| avoir raison | to be right |
| avoir tort | to be wrong |
| avoir mal | to be in pain |

## Bravo!

Tu as fini le deuxième chapitre!

In the next chapter, we shall be following the story of the silver box, talking and writing about visiting cafés and restaurants, learning more about the perfect tense, negatives, one or two new irregular verbs and much more.

# Chapitre 3

## La boîte en argent

In this chapter, we shall be following the story of the silver box, talking and writing about visiting cafés and restaurants, learning more about the perfect tense, negatives, one or two new irregular verbs, and much more.

### Exercice 3.1

*CD1: 8*

Passe le CD pour écouter le dialogue:

M. Simonneau et Georges discutent toujours de la boîte en argent.

*M. Simonneau.*  Elle est très vieille ...

*Georges.*  Mais oui! Je vais ouvrir la boîte. Regardez, il y a quelque chose ...

*M. Simonneau.*  Qu'est-ce que tu vois?

*Georges.*  Je vois des initiales. Attendez ... euh: je ... puis ... je ne sais pas. C'est trop sale!

*M. Simonneau.*  Je peux nettoyer la boîte, si tu veux.

M. Simmoneau nettoie la boîte avec un produit spécial dans son garage.

*M. Simonneau.*  Voilà! On voit bien maintenant!

*Georges.*  Montrez-moi! Ah oui! J-P. L. Mais qui est-ce?

*M. Simonneau.*  Je ne sais pas. Tu connais un Jean-Pierre? Un Jean-Paul?

*Georges.*  Oui, mais la boîte est vieille. Elle n'est pas à mon ami Jean-Pierre ...

*M. Simonneau.*  Non. Il faut réfléchir ... C'est peut-être à une autre personne qui a habité dans cette maison.

*Georges.*  Mais qu'est-ce qu'on va faire pour découvrir qui c'est?
    (à suivre)

| | |
|---|---|
| qu'est-ce que tu vois? | what do you see? |
| une initiale | an initial |
| attendez! | wait!; hang on! |
| montrez-moi! | show me! |
| nettoyer | to clean |
| un produit | a cleaning 'product' |
| qui est-ce? | who is it? |
| je sais | I know (a fact) |
| tu connais | you (s.) know (a person or place) |
| qu'est-ce qu'on va faire? | what are we going to do? |
| savoir (irreg.) | to know (facts) |
| connaître (irreg.) | to know (e.g. people and places) |
| il faut (+ infin.) | it is necessary to … |
| réfléchir | to think (carefully) |
| peut-être | perhaps |
| ouvrir (irreg.) | to open |
| découvrir (irreg. like ouvrir) | to discover |
| à suivre | to be continued |

## Comment ça s'écrit? L'alphabet français

Sur la boîte il y a: J-P. L. Ça se dit: «ji-pé-elle». Il faut apprendre l'alphabet!

Learning the alphabet in French is essential. From now on, look for opportunities to practise spelling in French, until you can do it easily!

## Exercice 3.2

Ecoute le CD et répète les groupes de lettres:

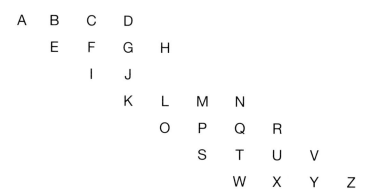

## Exercice 3.3

Travaillez à deux, puis à trois. Epèle des noms propres, et des noms. Suis l'exemple.

Exemple:

1. – Comment tu t'appelles?
   – Thierry.
   – Comment ça s'écrit?
   – Ça s'écrit T H I E R R Y.

2. – Elle s'appelle comment?
   – Elle s'appelle Julie.
   – Comment ça s'écrit?
   – Ça s'écrit J U L I E.

3. – Qu'est-ce que c'est?
   – C'est une brioche.
   – Ça s'écrit comment?
   – Ça s'écrit B R I O C H E.

4. – Comment ça s'appelle? *(What is that called?)*
   – Ça s'appelle un «violon».
   – Comment écrit-on «violon»?
   – V I O L O N.

| | |
|---|---|
| épeler | to spell |
| comment ça s'écrit? | how do you spell it? |
| ça s'écrit comment? | how do you spell it? |
| comment écrit-on …? | how do you spell …? |
| la brioche | the brioche (a cake-like loaf) |
| le violon | the violin |

## Exercice 3.4

Réponds aux questions en français, comme dans l'exemple:

Exemple:

Question:   Que font M. Simonneau et Georges?
Réponse:    M. Simonneau et Georges discutent de la boîte en argent.

1. Comment est la boîte? Fais une description.
2. Qu'est-ce que Georges voit sur la boîte?
3. Qui nettoie la boîte? Avec quoi?
4. Pourquoi nettoie-t-il la boîte?

## Les verbes: ouvrir

Un verbe irrégulier important

```
ouvrir = to open

j'ouvre          nous ouvrons
tu ouvres        vous ouvrez
il ouvre         ils ouvrent
elle ouvre       elles ouvrent
```

Other verbs like ouvrir:

couvrir = to cover          souffrir = to suffer
découvrir = to discover     offrir = to offer; to give (a gift)

## Les verbes: suivre

Un verbe irrégulier
Once or twice, you will have noticed «à suivre» = to be continued.

Here is the whole verb:

```
suivre = to follow:

je suis          nous suivons
tu suis          vous suivez
il suit          ils suivent
elle suit        elles suivent
```

## Exercice 3.5

Copie et complète, avec la bonne forme du verbe, au présent:

1.   Georges (ouvrir) la fenêtre de la cuisine.
2.   Marie-Claire (fermer) la porte du salon.
3.   Pourquoi n'(ouvrir)-tu pas la fenêtre?
4.   Parce qu'il (faire) froid.
5.   (Avoir)-t-il fini son livre?
6.   Non, il (lire) en ce moment.
7.   Est-ce qu'il (ouvrir) sa trousse?
8.   On ne (suivre) pas.
9.   Ils (ouvrir) le magasin à neuf heures.
10.  Vous (suivre) les directions.

## Exercice 3.6

Copie et complète au présent, avec un pronom:

1.  … suit son père à la plage.
2.  A Noël, … ouvrons les cadeaux.
3.  … veux un croissant, chérie?
4.  Oui. … veux bien, Papa.
5.  … suit la route de Nîmes.
6.  … ouvrent la boîte.
7.  D'habitude, … suivons les instructions.
8.  … ouvrez à quelle heure s'il vous plaît?
9.  … veulent entrer dans le café.
10. … es français, ou belge?

## More about the passé composé

We shall be meeting some more irregular (and regular) verbs in this chapter, and you will notice that, as well as its present tense, every past participle of every verb is given. This means that all you have to do is form its **passé composé** in the normal way (the present tense of **avoir** + past participle!).

First of all, let's add the past participles of the remaining irregular verbs in Book 1 to the five listed in **Chapitre 2** above, to complete the story so far!

Apprends ces participes passés!
*Learn these past participles!*

| l'infinitif | le participe passé |
|---|---|
| boire = to drink | bu = drunk |
| courir = to run | couru = run |
| croire = to believe | cru = believed |
| devoir = to have to; to owe; must | dû = had to |
| dire = to say | dit = said |
| dormir = to sleep | dormi = slept |
| lire = to read | lu = read |
| mettre = to put (on) | mis = put |
| ouvrir = to open | ouvert = opened |
| pouvoir = to be able; can | pu = been able |
| prendre = to take | pris = taken |
| suivre = to follow | suivi = followed |
| voir = to see | vu = seen |
| vouloir = to want | voulu = wanted |

## The passé composé in the negative form saying what did not happen.

To make **passé composé** sentences negative, do all the changing to the avoir part, and then add the **participe passé**:

| Il a fini. | > | Il **n'**a **pas** fini. |
|---|---|---|
| He has finished/He finished. | > | He has not finished/He didn't finish. |

## Exercice 3.7

Ecris ces phrases à la forme négative, comme dans l'exemple ci-dessus:

1. Il a trouvé.
2. Nous avons écouté.
3. Vous avez continué.
4. On a écrit.
5. Tu as lu.
6. Ils ont parlé.
7. J'ai mangé.
8. Philippe a entendu.
9. Maman a chanté.
10. Jacques et Martine ont regardé.

## Exercice 3.8

Ecris ces phrases au passé composé, comme dans les exemples:

Exemples:

Les garçons (boire) du chocolat.     >     Les garçons **ont bu** du chocolat.
Tu ne (boire) pas d'eau.     >     Tu **n'as pas bu** d'eau.

1. Georges (voir) des initiales dans la boîte.
2. Martine (boire) de la limonade.
3. Maman (courir) à la banque.
4. La banque (fermer) à midi vingt.
5. Le professeur (dire) «au revoir» à madame Dupont.
6. Tu ne (mettre) pas ton pull?
7. Je ne (pouvoir) pas. Il est à l'école.
8. M. Simonneau ne (vouloir) pas une tasse de café.
9. Marcel ne (ouvrir) pas la porte.
10. Papa ne (prendre) pas de pain.

Les garçons ont bu du chocolat!

## Quelques révisions!

With all this work on the passé composé, it is important to make sure you are not forgetting what you know about the present tense! Try this exercise, just to keep your hand in. Remember, you need to replace each two-word passé composé with a single word present tense!

## Exercice 3.9

Ecris ces phrases en français **au présent**:

1. J'ai dîné chez Jean-Pierre.
2. Tu as fini mon livre aujourd'hui?
3. J'ai couru chez le marchand de journaux.
4. Vous avez bien mangé à l'école?
5. Tu as rendu ton cahier de géographie.
6. Il a eu trois croissants!
7. On a mangé à treize heures.
8. Papa et Maman ont attendu à l'arrêt de bus.
9. Vous avez été au restaurant?
10. Nous avons visité le château.

## Les verbes: savoir et connaître

Two verbs, both meaning 'to know', but with important differences!

---

savoir = to know (a fact)

| | |
|---|---|
| je sais | nous savons |
| tu sais | vous savez |
| il sait | ils savent |
| elle sait | elles savent |

participe passé: su          J'ai su = I knew; I have known

---

Note: **savoir**, followed by an infinitive, also means 'to know *how to* ...' and you don't need a word for *'how to'* after it:

Georges sait nager. = Georges knows how to swim.

---

connaître = to know (a person or place)

| | |
|---|---|
| je connais | nous connaissons |
| tu connais | vous connaissez |
| il connaît | ils connaissent |
| elle connaît | elles connaissent |

participe passé: connu          J'ai connu = I knew; I have known

---

## Exercice 3.10

Ecris ces phrases au *présent*, comme dans l'exemple:

Exemple:
Papa (savoir) chanter.        >        Papa sait chanter.

1.   Georges (savoir) ouvrir la boîte.
2.   M. Simmoneau (connaître) la maison.
3.   Vous (savoir) nager?
4.   Non, je ne (savoir) pas nager.
5.   Martine (connaître) mon ami Jules.
6.   Nous (savoir) écrire en français.
7.   (Pouvoir)-tu lire ce livre anglais?
8.   On (connaître) les chants de Noël.
9.   Philippe et Marcel (savoir) faire du VTT.
10.   (Connaître)-vous la famille Durand?

## Exercice 3.11

Passe le CD pour écouter le dialogue:

Papa a invité M. Simonneau à prendre un café après le déjeuner.

*M. Simonneau.*    Ah. Il est bon, le café.
*Papa.*    Alors, Paul, ton jardin, ça va?
*M. Simonneau.* Ah oui. On a eu du beau temps cette année. Vous êtes allés où, en vacances?
*Maman.*    On est allés à Bandol, sur la Côte d'Azur. Il a fait beau, très beau. Le soleil a brillé tous les jours!
*Martine.*    Tous les jours sauf un, Maman. Le mercredi où nous sommes allés au cinéma ...?
*Maman.*    Ah oui! Il a plu toute la journée et on a décidé d'aller au cinéma.
*Papa.*    Et tout le monde a eu la même idée que nous!
*Georges.*    Martine est allée payer et nous sommes entrés dans la salle, mais on n'a pas trouvé de place!
*Martine.*    Et après, nous sommes allés au restaurant. Quelle histoire!
*M. Simonneau.*    Pourquoi?
*Papa.*    Parce que Georges et moi, nous avons choisi le menu tout de suite ...
*Georges.*    Mais Martine et Maman n'ont pas pu se décider vite! Imaginez ...

Did you spot these 'past event' expressions?

| | |
|---|---|
| vous êtes allés | you (pl.) went |
| on est allés | we went (using on) |
| nous sommes allés | we went (using nous) |
| elle est allée | she went |
| nous sommes entrés | we went in; we entered |

They are explained overleaf, after the vocabulaire.

| | |
|---|---|
| le temps | the weather (also 'time', so be aware of the context!) |
| du beau temps | some fine weather |
| tous les jours | every day |
| toute la journée | all day |
| tout de suite | immediately |
| il a fait beau | it was fine (weather); it has been fine |
| il a plu | it rained; it has rained |
| même | same |
| payer | to pay for |
| une place | 1: a seat (in a cinema, etc.); a space |
| | 2: a town (or village) square |
| quelle histoire! | what an embarrassment!; what a fiasco! |

## Talking and writing about past events (2)
## Le passé composé with être

As we saw above, elle est allée, nous sommes entrés, and so on, are as much passé composé expressions as j'ai choisi or nous avons écrit. The difference is that their first part is from être, not avoir. This takes some getting used to, because we do not use expressions in English using 'to be' instead of 'to have' in the perfect tense. We say 'I *have* gone' and 'I *have* come' not 'I *am* gone' or 'I *am* come'.

So you immediately want the answers to two questions!

1.    How many 'être' verbs are there?

2.    How do we know which verbs go with être in the passé composé?

Fortunately, the answer to the first question is 'not very many', so you won't mind too much when we tell you the answer to the second question: you just have to learn which they are!

## The verbs conjugated with être in the passé composé:

These are best learnt, as far as possible, in pairs of opposites:

aller (irreg.) = to go      venir (irreg.) = to come
entrer = to go in      sortir (irreg.) = to go out
arriver = to arrive      partir (irreg.) = to leave
monter = to go up      descendre = to go down
rester = to stay      tomber = to fall
rentrer = to come home      retourner = to return
naître (irreg.) = to be born      mourir (irreg.) = to die
devenir (irreg.) = to become      revenir (irreg.) = to come back; to return

… and, finally:

*all* reflexive verbs! Yes, all of them. Every single one!

Now you already know the past participle endings for the 1st (-er) and 3rd Group (-re) verbs, some of which appear in the list above, so there is no need to remind you that the past participles of:

entrer   arriver   monter   rentrer   rester   retourner   tomber   and   descendre

are:

entré   arrivé   monté   rentré   resté   retourné   tombé   and   descendu.

To these we can now add the past participles of the irregular 'être verbs':

| | | |
|---|---|---|
| aller - allé | venir - venu | sortir - sorti |
| partir - parti | naître - né | mourir - mort |

The verbs devenir and revenir are, of course, simply compounds of venir: Thus devenu and revenu.

## Exercice 3.12

Traduis en français:

Exemple:

He has gone = Il est allé.

1.   He has gone up.
2.   John has arrived.
3.   Philippe has come.
4.   I have entered.
5.   You (s.) have stayed.

6.   He has gone down.
7.   I have fallen.
8.   You (s.) have been born.
9.   He has departed.
10.   You (s.) have gone out.

## The agreement of past participles:

You may also have noticed that, in the dialogue, some of the past participles have an extra 's' or 'e' at the end. This is because the past participles of être verbs have to 'agree' with the subject, just like an adjective agrees with a noun:

**La** trousse est vert**e**.
**Les** verbe**s** sont facile**s**.

Here are some examples:

| | | |
|---|---|---|
| il est allé | elle est allée | nous sommes allés |
| he went | she went | we went |
| he has gone | she has gone | we have gone |

If the subject is masculine singular, there is no change:

> **Paul** est venu.

If the subject is feminine singular, add -e:

> **Pauline** est venue.

If the subject is masculine plural, add -s:

> **Paul et Georges** sont venus.

If the subject is feminine plural, add -es:

> **Pauline et Zoë** sont venues.

N.B.:
If the subject is a combination of masculine and feminine, use the masculine plural ending -s.

> **Paul et Zoë** sont venus.

Just as in any verb expression, the pronoun on always has the singular form of être (est), but its past participle may be plural, if it clearly refers to more than one person:

> **On** est allés à la piscine.

Before we move on, try your hand at writing être verbs in the passé composé:

## Exercice 3.13

Copie ces phrases, avec la forme correcte du verbe être, comme dans l'exemple:

Exemple:

> Il … sorti.   >   Il **est** sorti.

1. Il … allé au théâtre.
2. Elle … arrivée à la piscine.
3. Nous … partis de la maison.
4. Tu … rentré à quelle heure?
5. Ils … tombés de l'arbre.
6. Vous … venus de quelle direction?
7. Elles … entrées dans la salle.
8. Je … monté par l'escalier.
9. Marie … retournée à trois heures.
10. Jean et Philippe … descendus à midi.

# Exercice 3.14

Copy these sentences, making the past participle agree *if necessary:*

Exemple: Elle est allé.    >    Elle est allée.

1. Nous sommes parti de Paris hier.
2. Tu es sorti après le déjeuner, Marie?
3. Pierre est rentré tout de suite après les cours.
4. Georges et Martine sont venu à la maison.
5. Pauline est descendu de sa chambre quand le courrier est arrivé.
6. Jean et moi, on est arrivé à la gare à 15 h.
7. Vous êtes allé à la boulangerie, madame?
8. Tu es tombé, Christophe?
9. Georges et Jacques sont retourné à la maison.
10. Martine et Sophie sont resté dans les magasins.

| | |
|---|---|
| l'arbre (m.) | the tree |
| tout de suite | immediately |
| le courrier | the post (the postal delivery) |
| l'escalier | the staircase |

# Exercice 3.15

On fait des révisions!

Some of these verbs go with avoir in the passé composé, some go with être. Begin your revision of the passé composé by copying these two columns, giving the English for each verb and saying whether it goes with avoir or être. Simply check back in the book, if you cannot remember. The first one is done for you:

| | **verbe** | **anglais** | **participe passé** | **être ou avoir?** |
|---|---|---|---|---|
| 1. | acheter | to buy | acheté | avoir |
| 2. | aimer | | aimé | |
| 3. | aller | | allé | |
| 4. | arriver | | arrivé | |
| 5. | boire | | bu | |
| 6. | connaître | | connu | |
| 7. | devoir | | dû | |
| 8. | dire | | dit | |
| 9. | lire | | lu | |
| 10. | mettre | | mis | |
| 11. | mourir | | mort | |
| 12. | nettoyer | | nettoyé | |
| 13. | payer | | payé | |
| 14. | pouvoir | | pu | |
| 15. | prendre | | pris | |
| 16. | rester | | resté | |
| 17. | savoir | | su | |
| 18. | tomber | | tombé | |
| 19. | venir | | venu | |
| 20. | vouloir | | voulu | |

## Quand as-tu fait cela?

*When did you do that?*

It's the right moment to look at some 'time' words and phrases, to make your passé composé expressions more interesting:

| | |
|---|---|
| hier | yesterday |
| hier soir | yesterday evening, last night |
| il y a trois jours | three days ago |
| la semaine dernière | last week |
| mardi dernier | last Tuesday |
| après le film | after the film |

## Exercice 3.16

Copie ces phrases: écris les verbes au passé composé, comme dans l'exemple:

Exemple: Tu (monter)?    >    Tu **es monté**?;        Tu (finir)?    >    Tu as fini?

1. Nous (aimer) le film.
2. Après le déjeuner, vous (arriver) au centre-ville.
3. Tu (boire) de la bière hier soir?
4. Ils (penser) que je m'appelle Cédric!
5. Nous (devoir) traverser la rue.
6. Jeudi dernier je (rester) chez moi.
7. On (dire) des bêtises.
8. Tu ne (vouloir) pas manger le steak?
9. Elle (mourir) mercredi matin.
10. Je (payer) le médicament.

## Exercice 3.17

Traduis en anglais:

1. Ils n'ont pas pu aller au cinéma.
2. Joselle a mis ses cahiers sur la table.
3. Tu n'as pas lu son nom?
4. J'ai connu Philippe à Lyon.
5. Maman et Papa ont rangé le garage.
6. Marion est tombée devant la maison.
7. Elle n'est pas restée; elle est partie.
8. Pour aller à l'école, j'ai pris le bus.
9. Georges a acheté un CD pour Martine.
10. Elle a écouté le disque.

| | |
|---|---|
| dire des bêtises | to say silly things |
| traverser | to cross (over a space) |
| un médicament | a medicine; a treatment |

## Exercice 3.18

Lis et écoute le passage:

Papa, Maman, Martine et Georges sont au restaurant «Les Trois Caves». Il y a des menus à 15€, à 20€ et à 28€. Georges et Papa regardent le menu à 15€ et se décident tout de suite, mais Martine et Maman ne sont pas sûres. Papa choisit la truite et Georges choisit un steak. Maman décide de prendre le saumon mais Martine préfère le poulet au riz.

*(Le serveur arrive.)*

*Serveur.* Bonsoir, messieurs-dames. Vous avez choisi?

*Papa.* Bonsoir monsieur. Le menu à 15€ pour tout le monde, s'il vous plaît. Moi je vais prendre la truite meunière.

*Georges.* Et moi, je peux avoir le steak-frites, Papa?

*Papa.* Bien sûr! Alors, qu'est-ce que tu prends, chérie?

*Maman.* Mmm. Je ne sais pas. Le saumon, peut-être.

*Martine.* Moi, je voudrais le poulet au riz.

*Serveur.* Alors, une truite, un steak, un poulet au riz, un saumon …

*Maman.* Non. Attendez! Je change d'avis. Je vais prendre le poulet aussi.

*Serveur.* Alors, deux poulets au riz …

*Martine.* Non! Je voudrais un steak, comme Georges.

*Serveur.* Donc. Une truite, deux steaks, un poulet au riz. C'est ça?

*Papa.* Euh … oui. Enfin, je crois!

| | |
|---|---|
| la cave | wine cellar |
| le menu | the fixed price menu |
| la carte | menu of individual dishes |
| sûr (m.), sûre (f.) | sure; certain |
| la truite (meunière) | trout (cooked in a white wine and butter sauce) |
| le poulet au riz | chicken with rice |
| le saumon | salmon |
| messieurs-dames | ladies and gentlemen |
| le steak-frites | steak and chips |
| bien sûr | of course |
| je voudrais | I would like |
| changer d'avis | to change one's mind |
| c'est ça? | is that right? |
| enfin, je crois! | well, I think so! |

Répondez aux questions en anglais:

1. How many set-price menus are there?
2. Which one does Papa decide they will choose from?
3. What is Maman's first choice?
4. How many people have chicken in the end?
5. What do you think this restaurant might be called in English?

## Exercice 3.19

Dans le texte ci-dessus, trouve le français pour:

1.  Are you ready to order?
2.  I'm going to have …
3.  May I have …?
4.  What are you having?
5.  I would like the chicken.
6.  No, wait …

## Les verbes -er «spéciaux»

*-er* verbs that are just a bit different!

You have noticed that one or two verbs are -er verbs, but that they change their spelling in certain cases. Nothing to worry about, but here's the full story:

Some -er verbs have the letter 'y' just before the ending. If this happens, the 'y' changes to 'i' if the ending is **not** pronounced:

| | | |
|---|---|---|
| nettoyer | to clean | (ending pronounced) |
| il nettoie | he cleans | (ending **not** pronounced) |

Let's have a proper look at the whole verb:

nettoyer = to clean

| | |
|---|---|
| je nettoie | nous nettoyons |
| tu nettoies | vous nettoyez |
| il nettoie | ils nettoient |
| elle nettoie | elles nettoient |

Luckily, the past participle is perfectly normal – nettoyé.

Here are a few other useful verbs that do this:

| | |
|---|---|
| balayer = to sweep | essuyer = to wipe |
| payer = to pay for | envoyer = to send |
| essayer = to try | |

## Exercice 3.20

Ecris en toutes lettres un des verbes suivants:

- payer
- envoyer
- essayer
- essuyer

# Vive la France!

Beaucoup de familles françaises partent en vacances à la montagne dans les Alpes ou dans les Pyrénées, près des frontières suisse, italienne et espagnole, en hiver ou au printemps. On peut faire toutes sortes d'activités: du ski, de la luge, du patin, et, bien sûr, manger des spécialités de la montagne qui sont délicieuses. Sur les pistes enneigées, ou dans les patinoires, on rencontre beaucoup d'étrangers: des Anglais, des Allemands, des Italiens, des Hollandais ... Dans les Alpes il y a des stations de ski très célèbres: Chamonix-Mont Blanc, Albertville, Val d'Isère, Tignes, Les Gets.

(a)   Qu'as-tu compris? Ecris quelques lignes en anglais sur «les vacances de neige en France».

(b)   Où est-on allé(e), pour faire du ski? Ecris cinq phrases:

Exemples:

| Marc | NASEPGE | Marc est allé **en** Espagne. |
| Marie | VEEGEN | Marie est allée **à** Genève. |

1.   Tania      RCANFE
2.   Marcel    ETLIAI
3.   Anne      ELITELABRVL
4.   Philippe  SNITGE
5.   Sophie   EEIDAVLISR

(c)   Dans le texte, trouve le français pour:
1.   Near the borders.
2.   Go tobogganing.
3.   Mountain food.
4.   You meet lots of foreigners.
5.   Ski resorts.

## Vocabulaire 3

**Des mots indispensables de ce chapitre:**

**Les noms**

| | |
|---|---|
| le beau temps | fine weather |
| la place | the place; the space; the (village) square |
| le temps | the weather; the time |
| l'arbre (m.) | the tree |
| le courrier | the post (the postal delivery); the mail |
| l'escalier (m.) | the staircase |
| le médicament | the medicine; the treatment |
| le menu | the fixed price menu |

**Les verbes**

| | |
|---|---|
| connaître (irreg.) | to know (e.g. people and places) |
| découvrir (irreg., like ouvrir) | to discover |
| dire (irreg.) des bêtises | to say silly things |
| nettoyer | to clean |
| ouvrir (irreg.) | to open |
| payer | to pay for |
| réfléchir | to think (carefully) |
| savoir (irreg.) | to know (facts) |
| suivre (irreg.) | to follow |
| traverser | to cross (e.g. the road) |

**Quand?**

| | |
|---|---|
| hier | yesterday |
| demain | tomorrow |
| il y a trois jours | three days ago |
| la semaine dernière | last week |
| tout de suite | immediately |
| toute la journée | all day |

**D'autres mots et expressions**

| | |
|---|---|
| qui est-ce? | who is it? |
| qu'est-ce qu'on va faire? | what are we going to do? |
| peut-être | perhaps |
| même | same, even |
| bien sûr | of course |
| je voudrais | I would like |
| c'est ça? | is that right? |
| enfin | at last, finally |
| au moins | at least |

## Bravo!

Tu as fini le troisième chapitre!

In Chapter 4, we shall be learning more about the wonders of French food! A bientôt!

# Chapitre 4

## On mange où, ce soir?

In this chapter, you will have a chance to practise lots of the French you have learnt so far, and learn more about the language of restaurants and cafés.

## Exercice 4.1

Ecoute le CD et lis le dialogue en même temps; puis fais l'exercice:

Le lendemain, M. Simonneau et Georges ont continué leur discussion dans le jardin.

*M. Simonneau.* Alors, vous avez bien mangé en vacances quand même?

*Georges.* Bien oui. Le 'mercredi du cinéma', on a bien mangé.

*M. Simonneau.* Qu'est-ce que tu as pris, toi?

*Georges.* Moi? Un steak-frites. Mais on est allé dans d'autres restaurants aussi.

*M. Simonneau.* Ah, bon? Raconte!

*Georges.* Bon. D'abord on est allé dans un restaurant de poissons, à côté de la plage. C'était embêtant car Martine n'aime pas le poisson.

*M. Simonneau.* Ah. Mais tout le monde n'aime pas le poisson, bien sûr.

*Georges.* On a regardé les menus et la carte. Elle a choisi une omelette aux herbes, finalement! Puis un jour on a diné dans un restaurant italien. C'était super-chouette.

*M. Simonneau.* Moi, j'adore les pâtes et les pizzas.

*Georges.* Moi aussi! Après, le vendredi midi, maman a voulu déguster des fruits de mer, donc on a réservé une table dans un petit bistrot où on a pris des moules. C'était excellent.

*M. Simonneau.* Arrête! Tu me donnes faim!

| | | | |
|---|---|---|---|
| le lendemain | the next day | un bistrot | a small restaurant |
| quand même | nonetheless; anyway | des moules | mussels |
| raconter | to tell; to recount (a story) | arrêter | to stop |
| | | arrête! | stop! |
| raconte! | tell me more! | j'ai faim | I'm hungry |
| embêtant | annoying | | |
| les pâtes (italiennes) | pasta | c'était | it was |
| | | tu me | you make me |
| déguster | to sample | donnes faim | hungry |
| les fruits de mer | seafood | | |

Travaillez à deux. Préparez et présentez le dialogue en classe.

## Exercise 4.2

Trouve le français pour:

1. What did you have?
2. We went to other restaurants.
3. Not everyone likes fish.
4. We had dinner.
5. We booked a table.
6. Friday lunchtime.
7. She decided to have an omelette.

## Exercice 4.3

Traduis en français:

1. What did she have?
2. We went to other towns.
3. Not everyone writes with a pen.
4. They had lunch.
5. Papa booked a room at the hotel.
6. Wednesday morning.
7. I decided to have the steak.

## Exercice 4.4

Ecoute le CD et lis le dialogue et puis fais l'exercice:

On est au restaurant «Chez Nadia». Tochiko et ses amies entrent dans la salle.

*Tochiko.* Chouette! J'adore ce restaurant!
*Alice.* Moi aussi. Et puis manger ici, ce n'est pas cher!
*Joséphine.* C'est vrai. Monsieur! On peut s'installer?
*Serveur.* Bien sûr! Vous êtes combien?
*Joséphine.* On est trois.
*Serveur* Pas de problème! Où vous voulez!
*Tochiko.* On se met où?
*Alice.* Là. Près de la fenêtre. C'est joli, et on peut tout voir.
*Tochiko.* D'accord.
*Serveur.* J'apporte la carte, mesdemoiselles!
*Tochiko.* Merci, monsieur.

| | |
|---|---|
| s'installer | to settle in; take one's place(s) |
| on se met où? | where shall we sit? |
| se mettre | to stand or sit in a certain place (to 'put oneself') |
| près de | near (to) |
| tout | everything |
| apporter | to bring |
| mesdemoiselles | young ladies |

Préparez et présentez le dialogue ci-dessus en classe.

## Exercice 4.5

Lis, écoute le CD et répète. Essaie de bien prononcer.

«Chez Nadia»

«Chez Nadia», c'est un restaurant algérien. En France il y a beaucoup de restaurants étrangers. Nadia est une amie de Christine, la mère de Tochiko. C'est elle qui fait la cuisine dans son restaurant. Tochiko adore la cuisine algérienne. Vendredi soir, elle est allée «Chez Nadia» avec ses deux amies Alice et Joséphine. Le serveur a apporté la carte. La carte était très belle et très grande! Tochiko a regardé les entrées, les plats principaux et les desserts. Elle n'a pas su quoi choisir! Elle a demandé à ses amies, «Qu'est-ce vous avez choisi?». Joséphine a répondu la première:

«Je vais prendre le couscous au poulet et aux légumes.
– Moi, je voudrais une salade de riz avec haricots, a dit Alice.
– Tu n'as pas faim? a demandé Tochiko.
– Si! Mais j'aimerais du couscous après!
– D'accord. Qu'est-ce qu'on va boire?
– De l'eau … et … du coca.»

| | |
|---|---|
| quoi | what |
| je voudrais | I should like |
| j'aimerais | I should like |

## Exercice 4.6

Réponds aux questions en anglais:

1. What sort of place is 'Chez Nadia'?
2. Who does the cooking there?
3. Who is Nadia?
4. When did Tochiko go to 'Chez Nadia'?
5. Whom did she go with?
6. What was remarkable about the menu?
7. Why did Tochiko need to ask her friends what they were having?
8. What did they all decide to have to drink?

## Exercice 4.7

Design a menu for an Algerian restaurant in France. Remember, the background and decoration have to make you think of North Africa, and everything written on the menu has to be in French!

To get you started, match up the following dishes with the section headings they are supposed to come under!

1. Nos Entrées
2. Nos Plats Principaux
3. Nos Fromages

4. Nos Desserts
5. Nos Boissons

| | |
|---|---|
| Coupe Spéciale Nadia | 'Nadia's Special' ice-cream dish |
| Couscous au poulet et aux légumes | Chicken and vegetable couscous |
| Salade de riz aux haricots | Rice salad with beans |
| Eau minérale gazeuse | Fizzy bottled water |
| Salade de fruits | Fruit salad |
| Camembert | Camembert |
| Glaces (une, deux ou trois boules) | One, two or three scoops of ice-cream |
| Du (fromage de) chèvre | Goat's cheese |
| Coca Cola | Coca Cola |
| Brochette d'agneau | Lamb kebab |
| Thé à la menthe | Mint tea |
| Champignons à l'aïl | Mushrooms with garlic |
| Taboulé | A sort of couscous |
| Sorbet au citron | Lemon sorbet |
| Omelette au fromage ou aux champignons | Cheese or mushroom omelette |
| Vin rouge ou blanc en pichet | White or red wine in a carafe |

## Exercice 4.8

Ecoute le CD et lis le dialogue et puis fais l'exercice:

M. Simonneau parle au père de Georges.

*M. Simonneau.*  Salut! Alors, en vacances, vous avez découvert les restaurants de Bandol!

*Papa.*  C'est vrai. Mais on a aussi fait un pique-nique à la campagne.

*M. Simonneau.*  Un pique-nique! Manger en plein air! Profiter de la nature, du soleil, des oiseaux qui chantent dans les arbres …

*Papa.*  Des moustiques …!

*M. Simonneau.*  Ah oui! Au fait, qu'est-ce que vous avez mangé?

*Papa.*  Ma femme a acheté du pain, du beurre et du fromage, et Martine et Georges sont allés à la charcuterie.

*M. Simonneau.*  Et qu'est-ce qu'ils ont trouvé?

*Papa.*  Des salades comme de la salade russe, et des salades de carottes râpées, de céleri, de tomates et bien sûr du jambon, du saucisson et du pâté.

*M. Simonneau.*  Bravo les enfants! Qu'est-ce que vous avez bu?

*Papa.*  Du vin de pays, de l'eau et de l'orangina pour les enfants.

Préparez et présentez ce dialogue en classe.

| | |
|---|---|
| à la campagne | in the countryside |
| le céleri | celery |
| la charcuterie | the delicatessen ("deli") |
| en plein air | in the open air |
| le moustique | the mosquito |
| un oiseau | a bird |
| profiter de | to enjoy; to take advantage of |
| râpé | shredded |
| russe | Russian |
| la viande | the meat |
| le jambon | the ham |
| le vin de pays | locally produced wine |

## Exercice 4.9

Réponds en anglais aux questions:

1.  What does M. Simonneau think of picnics?
2.  What does Dad mention that is not so pleasant?
3.  Who bought the cheese?
4.  Where did Georges and Martine buy the picnic ingredients?
5.  Who had what to drink?

## Exercice 4.10

Ecris ces phrases au passé composé:
Take care! Some of these verbs go with être in the passé composé.

1. Georges et Martine **achètent** de la viande froide.
2. M. Simonneau **parle** au Papa de Georges.
3. Martine **choisit** du céléri.
4. Ils **vont** à la campagne.
5. Elle **va** à la plage.
6. Nous **entrons** dans la charcuterie.
7. Tu **lis** ton livre de bandes dessinées.
8. Maman **veut** du vin de pays.
9. Papa **ne peut pas** trouver le restaurant.
10. Martine **sort** de la maison.

## Exercice 4.11

Traduis en français:

1. Did you buy 3 kilos of tomatoes?
2. Marie and Julien went out at 8.00.
3. My mother spoke to the baker this morning.
4. I was not able to find my grandmother's cat
5. Haven't you chosen a dress for this evening?
6. Marcel did not want to go into the shop.
7. Have you read Troyat's latest novel?
8. We went to Biarritz last year.
9. The dog went into the house.
10. She has not got out of the car.
11. They have got into the bus.
12. The teacher punished our friend.
13. She could not find the address.
14. Claude and Nicolas returned this morning.
15. Pauline has seen the film.

## Qu'as-tu fait hier?

Je me suis levé à dix heures!

Je me suis reposé toute la journée!

## Les verbes pronominaux au passé composé

*Reflexive verbs in the perfect tense*

Remember that any verb can be made reflexive, as long as it makes sense. In most cases, the meanings are obvious. For example, arrêter is 'to stop (something or someone else)', and s'arrêter is 'to stop oneself'. In English, we sometimes use the same form of the verb whether it is really reflexive or not: 'The bus stops in town' really means 'The bus stops *itself* in town'. So, in French it is: Le bus **s'**arrête en ville.

As you know, all reflexive verbs in the passé composé are conjugated with être. The part of être goes just before the past participle. Here is a complete reflexive verb in the passé composé.

---

se laver = to wash oneself (the reflexive version of laver = to wash)

| | |
|---|---|
| je **me** suis lavé(e) | nous **nous** sommes lavé(e)s |
| tu **t'**es lavé(e) | vous **vous** êtes lavé(e)(s) |
| il **s'**est lavé | ils **se** sont lavés |
| elle **s'**est lavée | elles **se** sont lavées |

---

N.B.:
(i)    **te** and **se** are shortened to **t'** and **s'** because of the vowels after them.
(ii)   The word **se (s')** is used for 'himself', 'herself' and 'themselves' (m. and f.).
(iii)  The **nous** and **vous** in bold type mean 'ourselves' and 'yourselves'.
(iv)   With **on**, which, as usual, takes the same verb forms as il or **elle**, the **se** will mean 'oneself'.

## Exercice 4.12

Voici un verbe pronominal au passé composé. Choisis un autre verbe du vocabulaire, et écris le verbe de la même façon.

se lever = to get up

| | |
|---|---|
| je me suis levé(e) | nous nous sommes levé(e)s |
| tu t'es levé(e) | vous vous êtes levé(e)(s) |
| il s'est levé | ils se sont levés |
| elle s'est levée | elles se sont levées |

| | |
|---|---|
| se trouver | to be situated; to be somewhere (literally = 'to find onself') |
| s'arrêter | to stop |
| se disputer | to argue |
| se reposer | to rest |
| se rappeler | to remember |
| se baigner | to bathe; to go for a swim |

## Les verbes pronominaux au passé compose, au négatif

Using reflexive verbs in the passé composé, in the negative is easy! Simply put ne before the reflexive pronoun and pas after the être part:

| | | |
|---|---|---|
| Je **me suis** lavé | > | Je **ne me suis pas** lavé |
| I washed myself | > | I didn't wash myself |
| I have washed myself | > | I haven't washed myself |

Stick to this word-order and you will not go wrong. It may look a bit awkward at first but you will get used to it!

| | | |
|---|---|---|
| Nous nous sommes trouvés | > | Nous **ne** nous sommes **pas** trouvés |

## Exercice 4.13

Traduis en anglais:

1. Je me suis arrêté à la piscine.
2. Elle s'est disputée avec son frère.
3. Nous nous sommes reposés après le déjeuner.
4. Tu t'es trouvée au centre ville.
5. Il s'est disputé avec moi.
6. Le bus s'est arrêté devant le cinéma.
7. Maman s'est reposée avant le film.
8. Pierre s'est trouvé à la plage.
9. La voiture de Christine s'est arrêtée.
10. Je me suis levé à six heures ce matin!
11. Claire ne s'est pas levée pour le petit déjeuner.
12. Ils ne se sont pas disputés.
13. Papa ne s'est pas reposé ce soir.
14. Tochiko et Martine ne se sont pas baignées dans la rivière.
15. Elles se sont retrouvées à Paris.

## Exercice 4.14

C'est toi le prof. Corrige les erreurs! Ecris la version correcte de chaque phrase:

1. Maman s'est lavé ce matin. ✗
2. Pierre s'est arrêtée aux feux. ✗
3. Je m'ai reposé dans le salon. ✗
4. Nous nous avons regardés dans la glace. ✗
5. Vous vous êtes installé à table. ✗

## La boîte en argent (2)

Ecoute le CD et lis le dialogue:

C'est le soir. Toute la famille a dîné et a quitté la table. On se repose dans le salon.

*Georges.*   Papa, monsieur Simonneau a nettoyé la boîte.
*Papa.*   Quelle boîte?
*Georges.*   La petite boîte en argent. Regarde. Il y a des initiales.
*Papa.*   Ah oui. J-P. L. Qui c'est?
*Georges.*   Je ne sais pas.
*Papa.*   C'est peut-être un ancien habitant du village.
*Georges.*   Ou de la maison de monsieur Simonneau.
*Papa.*   Tu peux la montrer à Maman.
*Georges.*   Pourquoi?
*Papa.*   Elle s'intéresse aux antiquités.
*Georges.*   Maman. Tu dors?
*Maman.*   Oh zut! Je me suis endormie!
*Georges.*   Tu es bien réveillée maintenant?
*Maman.*   Mais oui chéri. Qu'est-ce qu'il y a?
*Georges.*   La boîte en argent. Regarde!
*Maman.*   Elle est belle.
*Georges.*   Il y a des initiales.
*Maman.*   Oui, je les vois: J-P. L. Jean-Paul? Jean-Pierre?
*Papa.*   Il faut parler à Mamie.
*Maman.*   Bonne idée!

| | |
|---|---|
| quelle boîte | which box? |
| quel …? | which…? (m.) |
| quelle …? | which…? (f.) |
| quels …? | which…? (m. pl.) |
| quelles …? | which…? (f. pl.) |
| peut-être | perhaps |
| un habitant | an inhabitant |
| ancien | former |
| s'intéresser à | to be interested in |
| s'endormir | to fall asleep |
| se réveiller | to wake up |
| Mamie | Grandma; Granny |

## Un peu de grammaire: Direct object pronouns (1)

Look at the passage on page 53. See if you can spot how Papa said: 'You show **it** …' and how Maman said: 'I see **them**.'
Here's a reminder:

*Papa.* Tu **la** montres
*Maman.* Je **les** vois

Let's focus in on what's happening. 'It' and 'them' are both Direct Object Pronouns. This means they represent words which are objects of verbs. Remember, the Subject does the action of the verb, the Object has the action of the verb done to it.

Marc attaque Stéphane. Sujet: Marc    Verbe: attaque    Objet: Stéphane

| Subject pronouns | | Direct object pronouns | |
|---|---|---|---|
| il | he; it | le (l') | him; it |
| elle | she; it | la (l') | her; it |
| ils | they | les | them |

Finally, and very importantly, notice that the position of the object pronoun is BEFORE THE VERB.

Exemples:

Je le vois. = I see him.         Tu les trouves. = You find them.
Nous l'avons. = We have it.     Elle la connaît. = She knows her.

## Exercice 4.15

Copie, avec le bon pronom d'objet direct, et puis traduis tes réponses en anglais:

| | | |
|---|---|---|
| 1. | Maman (…) voit. | them |
| 2. | Georges (…) montre à Maman. | it (f.) |
| 3. | Papa (…) regarde. | them |
| 4. | Christine (…) veut. | it (m.) |
| 5. | Martine et Papa (…) mangent. | it (m.) |
| 6. | M. Simonneau (…) trouve. | her |
| 7. | Le prof (…) lit. | it (m.) |
| 8. | Les enfants (…) écoutent. | him |
| 9. | Marie-Claire (…) quitte. | it (m.) |
| 10. | Zazie (…) aime. | them |

## Exercice 4.16

Ecris ces phrases avec des pronoms au lieu des mots soulignés:
*Write these sentences with pronouns instead of the underlined words:*

Exemple: Je mange le **poisson**     >     Je **le** mange

1. Paul et Philippe regardent **le film**.
2. Jacqueline nettoie **la voiture**.
3. Claire aime **le boeuf bourguignon**.
4. Pauline préfère **les frites**.
5. Moi, j'adore **les fruits de mer**.
6. Maman commande **la truite**.
7. Pierre écoute **le professeur**.
8. Le prof raconte **l'histoire** (f.).
9. Tu veux **le livre de bandes dessinées?**
10. Oui, je veux **le livre**.

## Exercice 4.17

Travaillez à deux! La première personne dit une phrase et la deuxième personne la répète avec un pronom:

Exemple:

      A.   Tu vois le cinéma?
      B.   Oui, je le vois.

Voici les phrases pour A:

1. Tu vois le bateau?
2. Tu manges la banane?
3. Tu regardes le film?
4. Tu aimes les bandes dessinées?
5. Tu touches la table?

In the next phrases, we use words like **mon, ton, ma, ta,** and so on, which show whether the noun is masculine or feminine. Reply, using **le, la** or **les** for 'it' or 'them'.

6. Tu ranges ta chambre?
7. Tu aides tes parents?
8. Tu trouves mon stylo?
9. Tu préfères cette chanson?
10. Tu détestes la musique?

## Vive la France!

On parle beaucoup des monuments historiques en France. Mais il y a aussi des bâtiments qui sont des exemples importants d'architecture moderne et de créativité. A Paris, devant le Musée du Louvre, un bâtiment ancien, il y a une pyramide de verre (achevée en 1988) qui abrite la partie souterraine du musée. A Poitiers, ville située au centre-ouest du pays, il y a un parc d'attractions qui s'appelle Futuroscope (ouvert au public en 1987), qui est consacré aux toutes dernières techniques audiovisuelles. L'architecture de certains bâtiments est étonnante.

| | |
|---|---|
| un bâtiment | a building |
| une pyramide | a pyramid |
| abriter | to shelter |
| souterrain | underground |
| le pays | the country |
| un parc d'attractions | a theme park |
| consacré à | devoted to |
| tout dernier | very latest |
| étonnant | astonishing |

(a) Qu'as-tu compris? Ecris quelques lignes en anglais sur les monuments modernes de France.

(b) Ecris dans le bon ordre:
1. le est bâtiment musée un moderne
2. ai Paris vu étonnants j' quand des ai visité bâtiments j'
3. le il y a pyramide devant de verre musée une
4. attractions est Futuroscope Poitiers parc à d' un le
5. on exemples beaucoup en France trouve d' créativité de

## Vocabulaire 4

**Des mots indispensables de ce chapitre:**

**Les adjectifs**

| | |
|---|---|
| ancien, ancienne | former |
| dernier, dernière | last; latest |

**Les noms**

| | |
|---|---|
| le bâtiment | the building |
| la carte | the menu of individual dishes |
| le lendemain | the next day |
| le poisson | the fish |
| la viande | the meat |

**Les verbes**

| | |
|---|---|
| apporter | to bring |
| arrêter | to stop |
| raconter | to tell; to recount (a story) |
| s'arrêter | to stop oneself |
| se baigner | to bathe; to go for a swim |
| se disputer | to argue |
| s'endormir | to fall asleep |
| s'installer | to settle in; take one's place |
| s'intéresser à | to be interested in |
| se reposer | to rest |
| se réveiller | to wake up |
| se trouver | to be situated; to be somewhere; (literally – 'to find onself') |

**Les phrases utiles**

| | |
|---|---|
| à la campagne | in the countryside |
| c'était | it was |
| en plein air | in the open air |
| j'aimerais | I would like |
| près de | near (to) |

## Bravo!

Tu as fini le quatrième chapitre!

In the next chapter, we will be looking at how to deal with simple health problems, and all about making comparisons.

# Chapitre 5

## Chez le médecin

In this chapter, you will learn
how to speak and write about
feeling ill, accidents, injuries,
mishaps, and going to the
doctor's. You will be learning
how to tell people what to do,
and more about the negative.

## Exercice 5.1

Ecoute le CD et lis le dialogue
en même temps, et puis fais
l'exercice:

*M. Simonneau.*   Aïe! Ça fait
    mal! Je dois aller chez le
    médecin.
*Papa.*   Qu'est-ce qu'il y a?
*M. Simonneau.*   J'ai mal au
    dos. C'est le jardinage.
*Papa.*   Au fait Georges est allé
    à l'hôpital pendant nos
    vacances.
*M. Simonneau.*   C'est vrai?
    Pourquoi?
*Papa.*   Il est tombé de vélo.
    J'ai téléphoné à l'hôpital,
    et on est parti tout de suite.
*M. Simonneau.*   Il n'a rien dit.
*Papa.*   Ce n'est pas grave. Ça va maintenant.

(Georges sort de la maison.)

*Georges.*   Bonjour monsieur.
*M. Simonneau.*   Bonjour Georges. Alors, tu es tombé de vélo?
*Georges.*   Oui, mais ce n'est rien. Je me suis fait mal, c'est tout. J'ai eu de la
    chance.
*M. Simonneau.*   Pourquoi?
*Georges.*   J'ai un copain qui est tombé de cheval. Il s'est cassé le bras!
*M. Simonneau.*   Quel dommage! Ecoute. Tu as toujours la boîte en argent?
*Georges.*   Bien sûr. On va la montrer à Mamie. Elle a passé toute sa vie ici.

| | |
|---|---|
| aïe! | ouch! |
| ça fait mal | that hurts! |
| qu'est-ce qu'il y a? | what's the matter? |
| avoir mal à | to have pain in |
| le dos | the back (part of the body) |
| le médecin | the doctor |
| au fait | by the way |
| le jardinage | gardening |
| un hôpital | a hospital |
| téléphoner | to telephone |
| ne ... rien | nothing |
| avoir de la chance | to be lucky |
| casser | to break |
| se casser le bras | to break one's arm |
| se faire mal | to hurt oneself |
| demander à | to ask (someone) |
| la vie | life |
| depuis | since |

## Exercice 5.2

Réponds aux questions en anglais:

1. What is wrong with M. Simonneau?
2. Why?
3. What is he going to do about it?
4. What happened to Georges on holiday?
5. Why does Georges consider himself lucky?

## Les parties du corps

Now we are talking about the cheerful subject of accidents, illness, injuries, mishaps, and going to the doctor's, it is time to revise parts of the body! Learn the parts of the body – les parties du corps – from this diagram:

It is quite a good idea to split them in your mind into masculine and feminine words:

| **Les mots masculins** | | **Les mots féminins** | |
|---|---|---|---|
| le bras | the arm | la bouche | the mouth |
| le cou | the neck | la gorge | the throat |
| le coude | the elbow | la dent | the tooth |
| le doigt | the finger | la figure | the face |
| le dos | the back | la jambe | the leg |
| le genou | the knee | la main | the hand |
| le nez | the nose | la poitrine | the chest |
| le pied | the foot | la tête | the head |
| le pouce | the thumb | la taille | the waist |
| le ventre | the tummy | la peau | the skin |

A few parts of the body beginning with vowels:

l'œil (m.)    the eye (plural: **les** yeux)
l'oreille (f.)   the ear
l'épaule (f.)   the shoulder

And a noun that is always plural:

les cheveux (m.)  the hair

## Avoir mal – another 'avoir idiom'

In the dialogue above, M. Simonneau said: J'ai mal au dos. You might hear this complaint a lot at the weekend in France, when people who sit at a desk all day during the week suddenly go into action on Saturday tackling the garden. Look at the drawing: clearly M. Simonneau is complaining about **having pain** in his back.

In English there are other ways to express this: My back hurts.
                  I have a backache.

The trouble with avoir mal is that it's followed by **à**, which means you have to think of **au** and the other ways of saying 'to the'. Here are a few examples which will serve as a quick reminder:

J'ai mal au dos. > I have pain **in the** back.
         My back hurts.

J'ai mal à la tête. > I have pain **in the** head.
         I have a headache.

Il a mal à l'épaule. > He has pain **in the** shoulder.
         His shoulder hurts.

Elle a mal aux mains. > She has pain **in the** hands.
         Her hands hurt.

## Exercice 5.3

Ecris la phrases en toutes lettres, comme dans l'exemple:

Exemple:
Je + avoir mal + tête. > J'ai mal à la tête.
(Check the gender of any words in les parties du corps on page 60.)

1. Je + avoir mal + main.
2. Tu + avoir mal + épaule.
3. Il + avoir mal + jambes.
4. Vous + avoir mal + bras?
5. Je + avoir mal + ventre.
6. Elle + avoir mal + tête.
7. Tu + avoir mal + gorge?
8. Non, je + avoir mal + dents.
9. M. Duval + avoir mal + nez.
10. Valérie + avoir mal + cou.
11. Je + avoir mal + coude.
12. On + avoir mal + épaules.
13. Tu + avoir mal + tête?
14. Il + avoir mal + genou.
15. Elle + avoir mal + ventre.

## Chez le médecin

A note about going to the doctor in France. First of all, there are two words for a doctor – le médecin and le docteur. They are people, not places, so 'to the doctor' is **chez** le médecin, not **au** médecin. Next, making an appointment is easy, as long as you know what to expect to hear on the phone. You'll spot all the standard phrases as you work through the dialogues and exercises below. Finally, when you have explained what is wrong, the doctor will tell you what to do, so we are going to learn about how to do commands in French – l'impératif. You've actually been following these for ages, as you have been given all sorts of instructions on every exercise since you began!

# Exercice 5.4

Ecoute le CD et lis le dialogue en même temps:

M. Simonneau prend rendez-vous.

*(M. Simonneau compose le numéro de téléphone du docteur.)*

| | |
|---|---|
| *Réceptionniste.* | Cabinet du docteur Flaubert, bonjour. |
| *M. Simonneau.* | Ah oui. Bonjour madame. Je voudrais prendre un rendez-vous avec Docteur Flaubert. |
| *Réceptionniste.* | Oui monsieur. Vous êtes monsieur …? |
| *M. Simonneau.* | Simonneau. S I M O N N E A U. |
| *Réceptionniste.* | Quel jour voulez-vous venir? |
| *M. Simonneau.* | Demain, s'il vous plaît. Demain, si possible, vers onze heures. |
| *Réceptionniste.* | D'accord, demain, mardi, à … 10 h 45? Ça va? |
| *M. Simonneau.* | C'est parfait. |
| *Réceptionniste.* | Bon. A mardi 5 septembre à 10 h 45. C'est noté! |
| *M. Simonneau.* | Merci madame. Au revoir. |
| *Réceptionniste.* | Merci monsieur. A demain. Au revoir. |

| | |
|---|---|
| composer un numéro | to dial a number |
| chez | to/at the house of; to/at the workplace of |
| prendre rendez-vous | to make an appointment |
| le cabinet | doctor's surgery |
| vers | towards |
| parfait | perfect |
| c'est noté | it's written down |

Travaillez à deux. Répétez et présentez un dialogue comme *M. Simonneau prend rendez-vous.* Prenez les rôles suivants:

> *A.* Réceptionniste au Cabinet du docteur Camus
> *B.* Client/e 1: Monsieur ou Madame Blanchard
>
> *A.* Réceptionniste au Cabinet du docteur Beauvoir
> *B.* Client/e 2: Monsieur ou Madame Colbert

## Exercice 5.5

Ecoute le CD et lis le dialogue en même temps:

**Dans le cabinet du docteur Flaubert.**

*Réceptionniste.* Monsieur Simonneau?
*M. Simonneau.* C'est moi, oui.
*Réceptionniste.* Voulez-vous bien me suivre.

*Dr. Flaubert.* Bonjour Monsieur Simonneau! Alors. Qu'est-ce qui ne va pas?
*M. Simonneau.* C'est mon dos, docteur. J'ai mal au dos.
*Dr. Flaubert.* Ah bon! Allongez-vous là. On va regarder cela. Ça vous fait mal … là?
*M. Simonneau.* Non …
*Dr. Flaubert.* Et … là?
*M. Simonneau.* Aïe! Eh oui, ça fait très mal!
*Dr. Flaubert.* Vous faites du jardinage?
*M. Simonneau.* Oui. Cette semaine, j'ai fait beaucoup de jardinage.
*Dr. Flaubert.* Ça ne m'étonne pas. Je vais vous donner une ordonnance. Allez à la pharmacie Maurice, rue des Saules. Achetez cette crème. Mettez de la crème sur votre dos, deux fois par jour.
*M. Simonneau.* Merci docteur. Au revoir.
*Dr. Flaubert.* Au revoir monsieur.

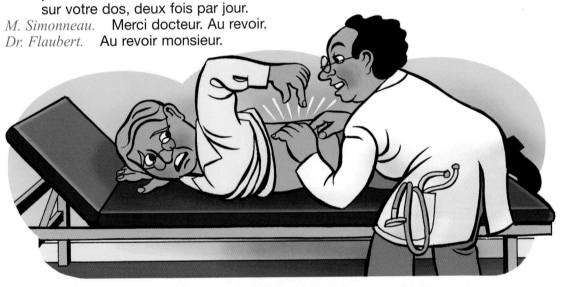

| | |
|---|---|
| voulez-vous bien | would you please |
| qu'est-ce qui ne va pas? | what is wrong? |
| allongez-vous | lie down |
| s'allonger | to lie down |
| faire mal à | to hurt; to cause pain to |
| aïe! | ouch! |
| étonner | to surprise |
| ça ne m'étonne pas | it doesn't surprise me |
| une ordonnance | a prescription |
| une crème | a cream |
| la pharmacie | the pharmacy; the chemist's shop |
| la rue | the street |

### L'impératif – how to tell people what to do!

As you have probably noticed, telling each other what to do is pretty much the same in French as it is in English:

Buy this cream!          **Achetez** cette crème!
Put some cream on your back!    **Mettez** de la crème sur votre dos!

To form the imperative, we simply take the 'you' form, singular or plural (depending on who you are talking to), with one small exception: if the last vowel of the singular form is an 'e' or an 'a', which it normally is, leave off the 's'.

Thus:

Tu manges         >      **Mange** ton sandwich! = Eat your sandwich!
Tu touches        >      **Touche** la tête! = Touch your head!
Tu ouvres         >      **Ouvre** la fenêtre! = Open the window!
Tu vas à Paris      >      **Va** à Paris! = Go to Paris!

but where the last vowel is an 'i', keep the 's':

Tu lis un livre       >      **Lis** un livre! = Read a book!
Tu finis ton journal   >      **Finis** ton journal! = Finish your newspaper!

The nous form is included as an impératif:

Mangeons! = Let's eat!
Rentrons! = Let's go home!

There are only a few exceptions:

| Verbe | tu | nous | vous |
|---|---|---|---|
| avoir | aie! | ayons! | ayez! |
| être | sois! | soyons! | soyez! |
| savoir | sache! | sachons! | sachez! |

If you're wondering when you would tell someone to have, or to be, or to know, consider these examples:

**N'aie** pas peur! = Don't be afraid! (literally 'Don't have fear!' from avoir peur = to be afraid)
**Soyons** calmes! = Let's calm down! (literally '**Be** calm!')
**Sachez** que je vais vous aider. = **Know** (i.e. 'be sure') that I am going to help you!

## Exercice 5.6

Ecris ces phrases à l'impératif:

Exemple: Tu manges ton pain.　　>　　**Mange** ton pain!

1.　Tu ouvres la boîte.
2.　Vous partez à dix heures.
3.　Tu cherches ton cahier.
4.　Nous rentrons à la maison.
5.　Tu fermes la porte.

6.　Vous lisez le texte.
7.　Tu écris à ta tante.
8.　Nous sortons d'ici.
9.　Tu parles à Mamie.
10.　Vous êtes sages, les enfants.

## Assieds-toi!/Asseyez-vous!

Are you sitting comfortably? Then look at this **impératif** – probably the most often repeated phrase any French learner has heard!

Assieds-toi! = Sit down! (s)
Asseyez-vous! = Sit down! (pl)

This is an example of what happens if you make a command out of a reflexive verb. Here are some others:

Allonge-toi!/Allongez-vous!　　>　　Lay down!; Stretch out! (from **s'allonger**)
Lève-toi!/Levez-vous!　　>　　Get up! (from **se lever**)
Mets-toi là!/Mettez-vous là!　　>　　Go over there! (from **se mettre**)
Couche-toi!/Couchez-vous!　　>　　Lie down! (from **se coucher**)

## Exercice 5.7

Travaillez à deux! Regarde l'exemple:

Exemple: regarder la television　　>　　Regarde la télévision!

Dis à ton/ta partenaire de (d') …

1.　ouvrir la porte.
2.　fermer la fenêtre.
3.　toucher le plancher/le plafond.
4.　écrire son nom au tableau.
5.　donner sa trousse.

6.　s'allonger par terre.
7.　se lever.
8.　se mettre devant la porte.
9.　se coucher.
10.　s'asseoir.

## Monsieur Banane dit …

One way to practise your imperatives is to play a version of 'Simon says', using our old friend Monsieur Banane. Take it in turns to give and obey the commands, but only when Monsieur Banane dit …

## La boîte en argent (suite)

Passe le CD pour écouter le dialogue:

C'est le lendemain. Martine et Georges ont quitté la maison pour aller chez leur grand-mère.

| | |
|---|---|
| *Georges.* | C'est quand, la dernière fois qu'on a vu Mamie? |
| *Martine.* | Bof. Je ne sais pas. Avant les vacances. |
| *Georges.* | Tu as raison. Elle va dire … |
| *Martine.* | … que nous ne venons jamais! |
| *Georges.* | Oui! Mais ce n'est pas drôle, à son âge. |
| *Martine.* | Non. Elle a quatre-vingt-cinq ans: elle a du mal à sortir. |
| *Georges.* | Elle ne sort jamais, elle ne voit personne, elle ne fait rien. |
| *Martine.* | Si! Elle fait sa cuisine, elle lit, elle écrit des lettres … |

| | |
|---|---|
| la dernière fois | the last time |
| avant | before |
| avoir raison | to be right |
| avoir du mal à (+ infin.) | to find it hard to … |
| ne … jamais | never |
| ne … personne | no-one |
| ne … rien | nothing |
| drôle | funny |
| leur(s) | their |

## La négation – moving negatively on!

In Book 1, you learnt all about the simple negative - saying 'not' - using ne and pas. In the dialogue above, there are three more negative expressions: one you've seen before and two new ones. They are used in a similar way to ne … pas: ne before the verb and a word in place of pas after.

| | | |
|---|---|---|
| ne … rien | | |
| Je **ne** vois **rien** | > | I see **no**thing; I do**n't** see anything. |
| ne … jamais | | |
| Elle **ne** parle **jamais** | > | She **never** speaks; She does**n't ever** speak. |
| ne … personne | | |
| Tu **ne** trouves **personne** | > | You find **no-one**; You do**n't** find **anyone**. |

Notes:

(a)  Do not be tempted to use pas as well as the words rien, jamais and personne. These words are used *instead* of pas, not as well as it.

(b)  rien and personne can actually be used as *subjects* of verbs:

**Rien n'**arrive = **Nothing** happens.
**Personne ne** sait = **Nobody** knows.

Again, notice how pas is not used in these phrases.

## Exercice 5.8

CD1: 22

Passe le CD pour écouter le dialogue et puis réponds aux questions en anglais:

Les enfants arrivent chez Mamie, leur grand-mère.

*(Martine sonne, Georges frappe doucement à la porte.)*

*Georges.*    Je n'entends rien. Elle n'est pas là.
*Martine.*    Si. Attends un peu.

(Soudain il y a un grincement. La porte s'ouvre.)

*Mamie.*    Ah! Vous voici! Papa m'a téléphoné. Entrez, venez dans la cuisine!
*Martine.*    Bonjour Mamie! Ça va?
*Mamie.*    Ça va, mais j'ai mal aux bras et à la main gauche.
*Georges.*    A la main gauche?
*Mamie.*    Oui. Le docteur m'a dit que j'écris trop de lettres! Tu veux du coca?
*Martine.*    Oui, je veux bien. Tu es allée chez le médecin?
*Mamie.*    Mais non! Il vient ici! J'ai du mal à marcher, tu sais.
*Georges.*    Oui, je sais. Il vient tous les jours?
*Mamie.*    Non, pas tous les jours. Il vient toutes les semaines.
*Martine.*    Georges veut te demander quelque chose.
*Mamie.*    Ah bon? Eh bien mon petit! Je t'écoute!
*Georges.*    Tu sais, Monsieur Simonneau a trouvé un trésor dans son jardin.
*Mamie.*    Ah oui? Quel trésor?
*Georges.*    Une petite boîte en argent. Regarde.

| | |
|---|---|
| vous voici! | here you are! |
| un grincement | a creaking; a squeaking |
| m'a dit | said to me; told me |
| trop de | too many; too much |
| toutes les semaines | every week |
| quelque chose | something |
| un trésor | a treasure |

1.   When was the last time the children saw their grandmother?
2.   How old is she?
3.   How often does she go out?
4.   What does she manage to do?
5.   How does Mamie know the children were coming to visit her?
6.   What is wrong with her today?
7.   Which hand does she write with?

## Les verbes: venir et tenir

Deux verbes irréguliers:

| venir = to come | |
|---|---|
| je viens | nous venons |
| tu viens | vous venez |
| il vient | ils viennent |
| elle vient | elles viennent |
| | |
| participe passé: venu | |

| tenir = to hold | |
|---|---|
| je tiens | nous tenons |
| tu tiens | vous tenez |
| il tient | ils tiennent |
| elle tient | elles tiennent |
| | |
| participe passé: tenu | |

N.B. venir goes with être in the passé compose.

## Exercice 5.9

Ecoute le CD, et puis lis le passage à haute voix:

Georges commence à raconter l'histoire de la boîte en argent. Il dit à Mamie que M. Simonneau a trouvé la boîte mais qu'on ne connaît pas l'identité de son propriétaire. Il montre la boîte à Mamie, qui prend ses vieilles lunettes et les met sur son nez. Elle regarde les initiales J-P. L. Elle ne les reconnaît pas. Mais soudain, elle s'arrête. Elle lève les yeux, regarde droit devant elle et dit, d'un ton mystérieux: *Je me demande … * Mamie se lève et passe dans la salle à manger, où elle commence à feuilleter un vieil album de photos. Martine boit son coca en silence. Elle regarde son frère. Georges regarde la boîte.

| | |
|---|---|
| on ne connait pas | one does not know (i.e. 'nobody knows') |
| l'identité (f.) | the identity |
| le/la propriétaire | the owner |
| les lunettes (f.) | the glasses (spectacles) |
| lever les yeux | to look up (literally 'to raise the eyes') |
| droit devant elle | straight ahead of her |
| d'un ton mystérieux | in a mysterious tone (voice) |
| feuilleter | to flip through pages |
| un vieil album de photos | an old photo album |

Vrai ou faux?

1. Martine raconte l'histoire de la boîte pour Mamie.
2. Mamie a du mal à voir et à lire.
3. Elle ne connaît pas l'identité de 'J-P. L.'
4. Mamie quitte la cuisine.

## Exercice 5.10

Ecris au passé composé:

1. Georges **commence** à raconter l'histoire.
2. Il **dit** que Martine boit du coca.
3. Georges **montre** la boîte à Mamie.
4. Mamie **prend ses lunettes.**
5. Soudain, elle **s'arrête***.
6. Elle **regarde** les initiales.
7. La grand-mère **se lève***.
8. Je **me demande***.
9. Martine **boit** son coca.
10. Georges **se demande***.

* *Attention!*

## Exercice 5.11

C'est une question de vocabulaire!

Cherche l'intrus! Regarde l'exemple:

Exemple: 1. **jambe:** C'est une partie du corps!

Voici les catégories:

1. les fruits
2. les articles de classe
3. les vêtements
4. les parties du corps
5. les sports
6. les couleurs

| 1. | 2. | 3. | 4. | 5. | 6. |
|---|---|---|---|---|---|
| tomate | cahier | chemise | pied | tennis | bras |
| banane | crayon | cravate | brun | natation | violet |
| fraise | pomme | voile | coude | gomme | noir |
| **jambe** | règle | pantalon | épaule | escalade | rouge |
| poire | stylo | chaussure | main | football | vert |

## Exercice 5.12

Tu es en vacances chez un(e) ami(e) à Nice. Lundi, tu as été malade. Tu es allé hier (mardi) chez le médecin, qui t'a donné une ordonnance. Tu es allé à la pharmacie et tu as acheté des comprimés et du sirop. Aujourd'hui ça va bien. Il fait beau et tu vas jouer au tennis cet après-midi. Tu reçois une lettre. Tu dois répondre à la lettre en français!

Voici la lettre que tu reçois:

> Orléans, le 7 août
>
> Cher/Chère ...
>
> Salut! Ça va? Moi, ça va bien. Qu'est-ce que tu fais? Tu t'amuses? Qu'est-ce que tu as fait lundi et mardi? Qu'est-ce que tu vas faire aujourd'hui? Ici à Orléans il pleut. Quel temps fait-il à Nice? Raconte-moi tout!
>
> Amicalement
>
> *Pierrette*

## Exercice 5.13

Lis le dialogue, écoute le CD et fais l'exercice:

Tochiko va à la pharmacie en ville. Elle doit faire des achats pour toute la famille.

*(Elle entre dans le magasin.)*

*La pharmacienne.* Bonjour mademoiselle. Ça va?
*Tochiko.* Bonjour madame. Ça va très bien merci.
   Mais j'ai chaud!
*La pharmacienne.* Ah oui. Il fait chaud aujourd'hui.
   Mais c'est la fin de l'été. Alors …
*Tochiko.* Alors aujourd'hui, il me faut … attendez,
   j'ai une liste.
*La pharmacienne.* Je vous écoute!
*Tochiko.* Je voudrais du dentifrice pour Marie-
   Christine, une brosse à dents pour Maman,
   des pastilles pour Pascal, Mina veut du
   shampooing, et pour moi du savon et un
   peigne. Et puis les comprimés de grand-père
   aussi, s'il vous plaît.
*La pharmacienne.* Vous avez l'ordonnance?
*Tochiko.* Oui! La voici. Tenez.

Regardez le vocabulaire. Préparez et présentez ce dialogue en classe, avec un(e)
partenaire.

| | |
|---|---|
| le/la pharmacien/ne | the pharmacist; chemist |
| la fin | the end (time) |
| il me faut | I need |
| le dentifrice | the toothpaste |
| des pastilles | throat sweets |
| le shampooing | the shampoo |
| le savon | the soap |
| le peigne | the comb |
| le comprimé | the pill |

Réponds en anglais aux questions:

1.   How is Tochiko feeling today?
2.   What time of year is it?
3.   How does Tochiko remember what to get at the chemist's?
4.   What does she need for granddad's pills?
5.   What does she want for herself?

## Exercice 5.14

Traduis en français:

Tochiko went to the chemist's in town today with a list. She bought lots of things: some
toothpaste, some soap, a comb, some shampoo and some throat sweets. (As for) me, I did
not go into town. I did not buy soap. I did not buy toothpaste.

## Vive la France!

Saumur est une ville historique qui se trouve aux bords de la Loire, à mi-chemin entre Angers et Tours. Elle est très connue dans le monde entier pour son vin, surtout le vin blanc pétillant qui ressemble au Champagne. Mais sais-tu qu'à Saumur il y a aussi l'Ecole Nationale d'Equitation, où tous les passionnés de chevaux peuvent venir découvrir l'univers unique de cette école prestigieuse. Le Cadre Noir donne des carousels toutes les deux semaines en été. On peut assister en famille à un carousel pour 45€.

| | |
|---|---|
| un(e) passionné(e) | an enthusiast |
| à mi-chemin | half-way |
| pétillant | sparkling |
| un carousel | a display (horses) |
| le cadre | (in this context) the specialist team |
| assister à | to be present at |

(a)  Qu'as-tu compris? Ecris quelques phrases en anglais sur Saumur et l'Ecole Nationale d'Equitation.

(b)  Copie les phrases. Remplis les blancs:

    1.  Visiter Saumur est indispensable si tu aimes les …
    2.  Saumur est située à 67 km d' … et à 66 km de Tours.
    3.  Les cavaliers … des carousels en été.
    4.  Le vin blanc de Saumur … au Champagne.
    5.  L'art équestre s'appelle l' …

(c)  Prends les initiales de chaque réponse à l'exercice (b). Qu'est-ce que tu as?

## Vocabulaire 5

Des mots indispensables de ce chapitre:

**Les noms**

| | |
|---|---|
| le rendez-vous | the appointment |
| le cabinet | the doctor's surgery |
| la pharmacie | the pharmacy; the chemist's shop |
| la rue | the street |
| la fois | the time (when something happens) |
| une fois | once |
| la dernière fois | the last time |
| la première fois | the first time |
| les lunettes (f.) | the glasses (spectacles) |
| la fin | the end (of a certain process or time) |
| l'hôpital (m.) | the hospital |
| le médecin | the doctor |

**les parties du corps**

| | |
|---|---|
| la bouche | the mouth |
| le bras | the arm |
| les cheveux | the hair (always plural) |
| la dent | the tooth |
| la jambe | the leg |
| la main | the hand |
| le nez | the nose |
| l'œil (m) (plural: les yeux) | the eye |
| le pied | the foot |
| la poitrine | the chest |
| la tête | the head |
| le ventre | the tummy |

**Les verbes**

| | |
|---|---|
| casser | to break |
| demander à | to ask (someone) |
| se faire mal | to hurt oneself |

**Les expressions avec *avoir***

| | |
|---|---|
| avoir mal à | to have a pain in |
| avoir de la chance | to be lucky |
| avoir du mal à | to find it hard to … |

**Les expressions de négation**

| | |
|---|---|
| ne … jamais | never |
| ne … personne | no-one |
| ne … rien | nothing |

**D'autres expressions**

| | |
|---|---|
| c'est noté | it's written down (i.e. 'I've made a note of it') |
| avant | before |

## Bravo!

Tu as fini le cinquième chapitre!

In the next chapter, you will learn how to describe where you live and how to use a new tense, the imperfect.

# Chapitre 6

## C'était comment?

In this chapter and the next you will learn about descriptions in the past using the Imperfect Tense and about comparison.

## Les départements et les régions

Just as in England we have counties (e.g. Kent, Hampshire) and areas (e.g. The Lake District, East Anglia), France is divided up into departments and regions.

La Vendée est un **département**, mais la Bretagne est une **région**. L'année dernière, nous avons visité la Bretagne: c'était formidable!

CD1: 25

## Exercice 6.1

La boîte en argent (suite)
Ecoute le CD et lis le dialogue:

Peter, le correspondant anglais de Martine, va faire sa deuxième visite.

*Papa.*   Ecoute, chérie. N'oublie pas que Peter va venir au mois d'octobre.
*Maman.*   Eh oui. Il habite où exactement, en Angleterre?
*Papa.*   Je ne sais plus. J'ai la documentation de l'école ici, dans un tiroir du bureau.
Ou bien dans ma serviette …
*Maman.*   C'est un gentil garçon. Mais il ne parle pas beaucoup!
*Papa.*   Il va peut-être parler plus cette fois-ci. Il a quand même fait trois ans de
français maintenant!
*Maman.*   Oui c'est vrai. Martine dit qu'il écrit assez bien.
*Papa.*   Et Martine écrit à Peter en anglais, c'est ça?
*Maman.*   Oui. Elle lui écrit en anglais. Le pauvre Peter! Alors, où est-ce qu'il habite?
*Papa.*   J'ai trouvé: Peter Harrison, dix-sept Rubens Road Epsom Surrey.
*Maman.*   C'est où? C'est dans quelle région?
*Papa.*   Bof. Dans le sud, je crois. Qu'est-ce qu'il a dit l'année dernière?
*Maman.*   Je ne me souviens plus.
*Papa.*   Tiens. Voici les gosses! Alors, quelles sont les nouvelles?
*Martine.*   Mamie va nous aider. Elle va écrire à son amie en Belgique!
*Papa.*   En Belgique?
*Georges.*   Oui. Elle a une amie qui est très vieille, comme elle, qui habitait ici dans le
village quand elles étaient petites. Elle s'appelle Albertine Lévy.
*Martine.*   Mais quand elle parlait, elle avait l'air triste. C'est bizarre.

| | |
|---|---|
| je ne sais plus | I don't know any more; I don't recall |
| ne … plus | no more; no longer |
| la documentation | the paperwork |
| un tiroir | a drawer |
| un bureau | a study; a desk |
| quand même | after all |
| une serviette | a briefcase |
| lui | to him; to her |
| pauvre | poor |
| le sud | the south |
| l'année dernière | last year |
| se souvenir (de) (irreg., like venir) | to remember |
| les gosses | the 'kids' (children) |
| les nouvelles | the news |
| la Belgique | Belgium |
| elle habitait | she lived; she was living; she used to live |
| elles étaient | they (f. ) were |
| elle parlait | she was speaking |
| elle avait l'air triste | she seemed unhappy |

## Exercice 6.2

Lis le passage et réponds en anglais aux questions:

1. What's happening in October?
2. Who is Peter?
3. Who is Albertine Lévy?
4. Where does Mamie think Albertine lives now?
5. What did Martine notice about her grandmother?

## Exercice 6.3

La chasse au trésor!
*Treasure hunt!*

Find all the verb expressions you can which have either '-ait' or '-aient' endings in the dialogue. Do not include fait! List them. There should be four.

## Un peu de grammaire: L'imparfait

*The imperfect tense*

The verbs you listed in Exercice 6.3 are in a new tense you haven't done before, so this is something **new**. It is also very exciting (really!) because it completes your ability to say exactly what you want about the past. You will soon be able to express yourself properly and fully in French in the past, present and future.

Here's a reminder of what you can already do:

| le présent | le passé composé | le futur proche |
|---|---|---|
| je parle | j'ai parlé | je vais parler |
| I speak/I am speaking | I have spoken/I spoke | I am going to speak |

We can use the imperfect tense – l'imparfait – to mean what we *were* doing, or *used to* do. So: elle parlait can mean: 'she *was* spea*king*' or 'she *used to* speak'.

Before we move on, and to show you how straightforward this tense is, try a little exercise:

## Exercice 6.4

Give *two* English meanings for each of the following:

1. Elle parlait.
2. Il chantait.
3. Elle habitait.
4. Il commençait.
5. Elle marchait.

## L'imparfait (suite)

You will also come across these imparfait expressions used regularly:

c'était = it was
c'était bizarre.          It was odd.

j'étais = I was
j'étais fatigué.          I was tired.

il faisait = it was (with weather expressions)
Il faisait beau.          It was fine.

### Attention!

**Never** say or write j'étais or c'était with another verb. They are always followed by an adjective.

J'étais fatigué.          I was tired.
Je dormais.               I was sleeping.

## How to form the imparfait

You will like the imparfait (honestly!), because it not only sets you up for really advanced French, but it does it painlessly, because it is about the easiest thing since falling off a log was banned for being too dangerous!

All you have to do is take the nous form from the présent, remove '-ons' from the end and add a new set of endings. What's more, the endings are the same for every single verb in the whole French language! Let's try it:

## Les verbes: finir au présent

finir = I finish

| | |
|---|---|
| je finis | nous **finiss**ons |
| tu finis | vous finissez |
| il finit | ils finissent |
| elle finit | elles finissent |

The part we need is shown in bold type. Now we have to add the endings. Here they are:
The whole process is shown in 3 steps:

| 1 | 2 | 3 | |
|---|---|---|---|
| je/j' | **finiss-** | + ais | je **finiss**ais |
| tu | **finiss-** | + ais | tu **finiss**ais |
| il | **finiss-** | + ait | il **finiss**ait |
| elle | **finiss-** | + ait | elle **finiss**ait |
| nous | **finiss-** | + ions | nous **finiss**ions |
| vous | **finiss-** | + iez | vous **finiss**iez |
| ils | **finiss-** | + aient | ils **finiss**aient |
| elles | **finiss-** | + aient | elles **finiss**aient |

There is only ONE exception, which makes a nice change in French! You've probably already spotted it: être. The imparfait stem for être is: 'ét-'

You have already seen its two most often-used forms: c'était and j'étais. The first of these is very useful indeed when *describing* anything in the *past*:

C'était difficile, mais c'était intéressant. = It was difficult, but it was interesting.

Later in the chapter, you will read and hear people describing places as they are now in the present tense, and comparing them with how they *used to be*, using the imparfait.

## A summary of the uses of the imparfait

To sum up, we use the imparfait for:

| | |
|---|---|
| saying: | 'was …-ing' or 'were …-ing' |
| habits in the past: | saying what we used to do regularly |
| describing in the past: | saying how things were |

Remember the main differences between the imparfait and the passé composé: The imparfait is **descriptive** and used for **unfinished** actions, whereas the passé composé is for **single events** and actions which are **finished**.

## Exercice 6.5

Ecris ces verbes en toutes lettres, à l'imparfait:

1. chanter = to sing
2. choisir = to choose
3. attendre = to wait

## Exercice 6.6

Ecris ces phrases à l'imparfait:

1. J'(arriver) à neuf heures du matin.
2. C'(être) agréable.
3. Mamie (parler) aux enfants.
4. Son amie (s'appeler) Albertine.
5. Martine (avoir) chaud.
6. Peter ne (parler) pas beaucoup.
7. Georges et Martine n'(aller) pas souvent chez Mamie.
8. Quand elle (marcher), c'(être) difficile.
9. Il (faire) beau et chaud en été.

In these exercises, remember to go *patiently* through these three steps, so that what you write or say is guaranteed to be correct:

1. Identify the verb.
2. Recite to yourself (or look it up if you've forgotten!) its present tense.
3. Always check with your teacher if you are not sure.

## C'était comment?

Saying what you did and giving an opinion on it.

One way to practise using the passé composé and the imparfait together is to say that you went somewhere or did something (passé composé), then say what you thought of it (imparfait).

Here are some 'opinion' words:

| passionnant | intéressant | formidable | agréable | bizarre |
| exciting | interesting | brilliant | pleasant | strange |

| amusant | ennuyeux | affreux | sympa | moche |
| fun | boring | ghastly | nice | horrible |

Exemple:
> Hier **je suis allé** au Futuroscope: **c'était** passionnant!
> Yesterday **I went** to Futuroscope: **It was** exciting!

## Exercice 6.7

Ecris ces phrases avec le premier verbe au passé composé et le deuxième à l'imparfait, comme dans l'exemple ci-dessus:

1.  Je (aller) à Angers: c'(être) formidable!
2.  Hier soir on (dîner) au restaurant: c'(être) délicieux!
3.  Je (faire) les magasins avec Martine: c'(être) amusant!
4.  Nous (faire) du ski dans les Alpes: c'(être) passionnant!
5.  On (visiter) le musée du Louvre: c'(être) intéressant!

Pour les numéros 6 à 10, c'est à toi d'inventer des phrases!

6.  aller – Nantes – amusant
7.  regarder – un film – passionnant
8.  faire – de la planche à voile – bizarre
9.  faire – du camping – affreux
10. partir – en avion – sympa

## Exercice 6.8
## On s'amuse un peu!

Here are some adjectives to describe yourself. Some are nice qualities, some are not! Say what you *used to be like*, and what you *are like now*. See how many sentences you can make, as in the example:

Exemple:

**J'étais** bête et embêtant; maintenant **je suis** sympa!
**I used to be** silly and annoying; now **I am** nice!

| | |
|---|---|
| fort/forte | strong |
| courageux/courageuse | brave |
| aimable/aimable | likeable |
| embêtant/embêtante | annoying |
| faible | weak |
| triste/triste | unhappy; sad |
| souriant/souriante | cheerful |
| intelligent/intelligente | intelligent |
| sympa | kind; likeable |
| gentil/gentille | nicel kind |
| loyal/loyale | loyal |

## Exercice 6.9

Ecoute le CD et lis le texte:

Martine et Georges sont de nouveau chez Mamie.

*Martine.* Bonjour Mamie. Alors, tu as reçu une lettre?
*Mamie.* Bonjour les enfants. Oui, j'ai reçu une lettre.
*Georges.* Alors?
*Mamie.* Ce n'est pas Albertine qui a écrit la lettre.
*Martine.* Ah bon, pourquoi? Elle est morte?
*Mamie.* Mais non! Mais elle n'habite plus en Belgique.
*Georges.* Chouette! Elle est revenue en France!
*Mamie.* Non plus. Elle a émigré.
*Martine.* Emigré! Zut!
*Mamie.* C'est un voisin qui m'a écrit.
*Georges.* Qu'est-ce qu'il dit, le voisin? Où est-elle?
*Mamie.* Le voisin a perdu son adresse. Mais on ne sait jamais …

> de nouveau = once again
> émigrer = to emigrate

## Exercice 6.10

Dans le dialogue, trouve le français pour:

1. Have you received?
2. It is not Albertine who wrote the letter.
3. Why?
4. Is she dead?
5. She no longer lives in Belgium.
6. She's come back
7. Who wrote to me.
8. What does he say?
9. The neighbour has lost her address.
10. You never know.

## Exercice 6.11

Regarde l'Exercice 6.10 pour t'aider et traduis ces phrases en français:

1.  Has he received?
2.  It is not Martine who lost the address.
3.  Is she French?
4.  We no longer live in England.
5.  They (f.) have come back.
6.  Who read to me.
7.  What do they (m.) think?
8.  The neighbour has not lost the newpaper.
9.  You (on) never find the answers.

## Vive les révisions!

By now you should be aware that quite a lot of revision is going on. This is necessary so that you get a second chance not to forget everything you have worked so hard to learn in the first place. Don't be too worried if you do forget things: just look them up earlier in the book.

The next things we are going to revise, and look at in more detail, are pronouns.

## Les pronoms (suite)

You remember how we say 'him', 'her', 'it' and 'them'? In case you don't, they are: le, la, les. Now we are going to add one or two more pronouns: me, te, lui, nous, vous, leur and y.

| | |
|---|---|
| me = me; to me | nous = us; to us |
| te = you; to you | vous = you (pl.); to you (pl.) |
| lui = to him; to her | leur = to them |
| y = there (to a place; at a place) | |

Note that when a pronoun begins with 'to' (*to* me, *to* them etc.), it is known as an *indirect object pronoun*:

| *Subject* (I, etc.) | *Direct Object* (me, etc.) | *Indirect Object* (*to* me, etc.) |
|---|---|---|
| je | me | me |
| tu | te | te |
| il | le | lui |
| elle | la | lui |
| nous | nous | nous |
| vous | vous | vous |
| ils | les | leur |
| elles | les | leur |

## Exercice 6.12

Study the following examples, and try repeating them several times to get used to the sound; then translate them into English:

1. Tu me regardes.
2. Il nous cherche.
3. Elle vous écoute.
4. Je te parle.
5. Il y trouve les cahiers.
6. Vous nous écoutez.
7. On t'entend.
8. Je leur écris.
9. Tu lui envoies une lettre.
10. Elle nous pose une question.

For variety, change the pronouns in each sentence and see if they make sense! But remember, the order is always the same:

1. subject pronoun     (je, tu, etc.);
2. object pronoun      (les, le, lui, etc.);
3. verb.

So far, you have learnt quite a few pronouns, all of which have a definite job to do; so I have put them all together in a clear table in the back of the book (page 83). We must not forget the reflexive pronouns, so they are added in as well.

## Exercice 6.13

Fais dix phrases en français avec les mots suivants et puis traduis en anglais:
*Make ten sentences in French out of the following words and then translate them into English:*

Exemple: Ils nous regardent. = They watch us.

| sujet | objet | verbe |
|-------|-------|-------|
| je    | le    | regarde |
| tu    | la    | regardes |
| il    | les   | regarde |
| elle  | **nous** | regardons |
| on    | vous  | regardez |
| nous  |       | **regardent** |
| vous  |       | |
| **ils** |     | |
| elles |       | |

Note: if you are feeling confident you may like to use verbs other than regarder.

## Exercice 6.14

Fais encore dix phrases avec ces verbes:
*Make ten more sentences with these other verbs:*

Be careful to keep your word order and verb endings correct. In each sentence, you need one subject pronoun, one object pronoun and a verb.

aider    aimer    prendre    mettre    écouter

Don't be surprised that several pronouns have more than one use! This actually makes life easier, since there are not so many different ones to learn. There is a table in the back of the book, as I have said, but we are going to look at them the easy way – seeing what all the different ones mean. Which pronoun has the most different meanings? Which one has the fewest?

| | |
|---|---|
| me | me; to me; myself; to myself |
| te | you; to you; yourself; to yourself |
| le | him; it (m.) |
| la | her; it (f.) |
| lui | to him; to her |
| se | himself; herself; oneself; themselves; to himself; to herself; to oneself; to themselves each other; to each other |
| nous | us; to us; ourselves; to ourselves |
| vous | you; to you; yourselves; to yourselves; yourself; to yourself |
| les | them |
| leur | to them |
| y | there (to/at/in a place) |

## La comparaison – how to compare people and things in French

Regarde l'image. Tochiko est **plus** grande **que** Mina, mais elle est **moins** grande **que** Pascal. Pascal est **plus** grand **que** Tochiko et Mina.

Comparison (comparing things or people) is a good thing to be able to do when describing. In English we can do this often just by altering an adjective (e.g. 'it is colder than yesterday'). In French this does not happen. Instead there are three words to use, which can be put before nearly any adjective or adverb. They must be followed by **que**:

| plus | (…) | que | | more | (…) | than |
|------|-----|-----|---|------|-----|------|
| moins | (…) | que | | less | (…) | than |
| aussi | (…) | que | | as | (…) | as |

# Exercice 6.15

Traduis en français:

1. The restaurant is bigger than the café.
2. Marie is taller than Pierre.
3. Your brother is smaller than my sister.
4. In Paris it is warmer than in London.
5. February is colder than August.
6. Georges is more loyal than Martine.
7. The farm is more beautiful than the car park.
8. Madame Lacroix is stricter than Monsieur Béchet.
9. Yes, but she is less tolerant than Madame Schmidt.
10. Our house is as modern as your apartment.

# Exercice 6.16

Passe le CD pour écouter le dialogue et puis fais l'exercice:

*Mamie.*   Et oui. Ce n'est plus comme avant.

*Martine.*   Quoi, Mamie? Qu'est-ce qui n'est plus comme avant?

*Mamie.*   Tout. Tout a changé. Tout le monde est parti, le village est différent …

*Georges.*   C'était comment, Mamie, quand tu étais jeune?

*Mamie.*   Bon, d'abord, il n'y avait pas d'autoroute! Puis, tout était calme. Tout le monde se connaissait, tout le monde se disait bonjour.

*Georges.*   Mais, le village était différent?

*Mamie.*   Oh oui. Il n'y avait pas de piscine, il n'y avait pas de magasins.

*Martine.*   Pas de magasins? Mais …

*Mamie.*   Il y avait la mairie, un petit café, et une boulangerie.

*Georges.*   Il y avait le parking, à côté de l'église?

*Mamie.*   Un parking? Il n'y avait qu'une seule voiture! Le docteur avait une voiture, mais nous, on roulait à vélo, ou on montait à cheval.

*Martine.*   Ah oui, je comprends. C'est différent maintenant. Maintenant on a deux parkings, des feux, une salle de réunions, une petite école maternelle, une superette …

*Mamie.*   Tous les jeunes travaillaient à la Grande Ferme.

*Martine.*   La Grande Ferme? Le restaurant?

*Mamie.*   Mais non! C'était une vraie ferme à cette époque-là! On était dans une région agricole.

| | |
|---|---|
| comme avant | as before; like it used to be |
| une autoroute | a motorway |
| la mairie | the town hall; the mayor's office in a village |
| un parking | a car park |
| une église | a church |
| rouler | to go (in/on a wheeled vehicle) |
| monter à cheval | to ride on horseback |
| un feu | a fire |
| des feux | traffic lights |
| une école maternelle | a nursery school |
| une ferme | a farm |
| à cette époque-là | at that time |
| agricole | farming (adj.); agricultural |

## Exercice 6.17

Using five of the following adjectives, make up five sentences comparing one person or thing with another. Don't forget that you can use moins … que and aussi … que as well as plus … que. Then translate your sentences into English:

intéressant/intéressante     loyal/loyale     tolérant/tolérante
actif/active     moderne     strict/stricte

## Exercice 6.18

Passe le CD pour écouter le dialogue:

*Mamie.*     Avant, il y avait toutes sortes de fêtes au village. On n'était pas riches, mais on savait s'amuser.

*Martine.*     Mais on a toujours des fêtes. Il y a la fête du village, le 1er juin …

*Mamie.*     La fête du village! Ce n'est pas une vraie fête!

*Martine.*     Si! Il y a un manège et un concours de pétanque, et le soir il y a une discothèque pour les jeunes.

*Mamie.*     Mais quand j'étais jeune, on avait la fête de la sardine, la fête de la mogette, et la soirée des moules-frites! Et il y avait des musiciens qui venaient jouer, et on dansait. C'était plus sympa qu'aujourd'hui.

*Georges.*     La fête de la sardine?

*Mamie.*     Oui. C'était formidable. Tout le village venait s'asseoir à de longues tables, on servait des sardines cuites au feu de bois, on mangeait, on buvait du vin …

*Georges.*     Tu t'es bien amusée, alors, Mamie?

*Mamie.*     Ah oui! On s'amusait bien …

| | |
|---|---|
| on savait s'amuser | we knew how to have a good time |
| toujours | still; always |
| un concours de pétanque | a bowles competition |
| les jeunes | the young people |
| la mogette | beans prepared in Vendée style |
| les moules-frites | mussels and chips |
| s'asseoir (irreg.) | to sit down |
| cuit(e) au feu de bois | charcoal grilled |

CD1:
29

## Exercice 6.19

Passage de lecture.
Lis le passage à haute voix et puis réponds aux questions:

Ce jour-là, Mamie a continué à raconter les fêtes de sa jeunesse. Les enfants ont écouté attentivement. Pendant qu'elle parlait, Martine et Georges ont essayé d'imaginer le village dans le passé. Georges voulait poser des questions à Mamie sur la guerre de '39 – '45. Mamie ne voulait pas parler de cette période. Elle a seulement dit que c'était une époque triste. Mais Martine voulait en savoir plus. Une fois rentrés à la maison, on a parlé de Mamie et de la boîte en argent, des fêtes au village, d'Albertine Lévy et du passé. Après le dîner, Georges et Martine ont décidé de faire des recherches sur le village. Martine a proposé à son frère d'aller à Nantes chercher des informations à la bibliothèque.

| | |
|---|---|
| la jeunesse | youth |
| pendant que | while |
| poser une question | to ask a question |
| la guerre | the war |
| curieux | curious |
| le passé | the past |
| faire des recherches | to do some research |
| proposer | to suggest |
| la bibliothèque | the library |
| une fois rentrés | once they had come back home |

Réponds en anglais aux questions:

1. What did Mamie go on talking about?
2. What did Georges and Martine do while she was speaking?
3. Why did Mamie not want to talk about the war?
4. What was Martine's reaction to this?
5. Where did she suggest they go, and why?

## Un peu de grammaire: Les verbes suivis de à + infinitif ou de + infinitif

By now you have met lots of verbs, and you have seen several of the different ways they are used. We shall move a step forward now by looking at verbs which have à or de after them, then an infinitive. Here are a two examples. The meanings are quite easy to see:

> Elle **a continué à** raconter. = She **continued** to tell.
> Ils **ont décidé d'**aller. = They **decided to** go.

Here is a short list of some verbs followed by infinitives, showing whether they have à or de before the infinitive, or nothing at all:

aller = to be going (to)
pouvoir = to be able (to)
vouloir = to want (to)
devoir = to have (to)

continuer **à** = to continue (to)
commencer **à** = to begin (to)

décider **de** = to decide (to)
essayer **de** = to try (to)
promettre **de** = to promise (to)

## Exercice 6.20

Traduis en anglais:

1. Elle va arriver à Nantes le 21 avril.
2. Nous pouvons faire des recherches sur le village.
3. Maman veut lire le journal de dimanche.
4. On doit prendre le train de 9 h 05.
5. Tu continues à faire des progrès.
6. Papa commence à parler avec monsieur Simonneau.
7. Nous décidons de rester à la maison.
8. Martine promet d'aider Peter avec son français.
9. Elle essaie de lui écrire en anglais.
10. Peter va essayer de répondre en français.

## Exercice 6.21

Traduis en français:

1. Christian is going to help Mum in the garden.
2. Georges can ask for the bill.
3. Martine wants to go to the library in Nantes.
4. I have to arrive before lunch.
5. Martine continues to make an effort with her English.
6. She is beginning to speak well.
7. Peter wants to learn French in France.
8. He is going to read French newspapers.
9. Mum promises to help Georges with his homework.
10. Martine's brother is going to try to speak English with Peter.

# Vive la France!

Le Futuroscope se trouve à onze kilomètres au nord de Poitiers, une ville importante du centre-ouest de la France. Ce n'est pas seulement un parc d'attractions pour les jeunes, c'est aussi une occasion d'éprouver de fortes sensations auditives et visuelles, grâce à la technologie ultra-moderne qui est constamment mise à jour. On peut ainsi découvrir les derniers développements en informatique et en sciences, sur l'écologie de la planète, et sur l'espace.

| | |
|---|---|
| une occasion | an opportunity |
| grâce à | thanks to |
| (re)mettre à jour | to bring up-to-date |
| l'espace | space |

(a)  Imagine que tu dois écrire de la publicité en anglais pour le Futuroscope. Traduis le passage en anglais dans un style touristique!

(b)  Déchiffre ces mots:

EIRTIPOS          OTCRISTATAN          CARP
                  NECESSIC              DRENOME

(c)  Trouve cinq autres mots dans le passage. Mélange les lettres! Demande à un(e) ami(e) de les déchiffrer!

## Vocabulaire 6

**Des mots indispensables de ce chapitre:**

**Les noms**

| | |
|---|---|
| l'autoroute (f.) | the motorway |
| la Belgique | Belgium |
| la bibliothèque | the library |
| le bureau | the study; the desk |
| le concours de pétanque | the boules competition |
| l'église (f.) | the church |
| la ferme | the farm |
| les feux (m.) | the traffic lights |
| la guerre | the war |
| les jeunes | the young people |
| la jeunesse | the youth |
| l'hôtel de ville | the town hall |
| la mairie | the town hall; the mayor's office in a village |
| les nouvelles | the news |
| la serviette | the briefcase; the towel |
| le tiroir | the drawer |

**Les verbes**

| | |
|---|---|
| rouler | to go (in/on a wheeled vehicle) |
| se souvenir (de) | to remember |
| avoir l'air | to seem; to look |
| s'asseoir | to sit down |
| poser une question | to ask a question |
| proposer | to suggest |

**Un adjectif**

| | |
|---|---|
| agricole | farming (adj.); agricultural |

**D'autres expressions utiles**

| | |
|---|---|
| toujours | still; always |
| pendant que | while |
| l'année dernière (f.) | last year |
| il y avait | there was; there were |

## Bravo!

Tu as fini le sixième chapitre!

In Chapter 7, you will continue to learn about describing things in the past, and how to find your way around.

# Chapitre 7

## Le centre ville, c'est loin?

In this chapter, you will learn more to help you speak and write all about finding your way in a French town and using transport.

## Exercice 7.1

Passe le CD pour écouter le dialogue:

*Martine.*  Zut! Il y a tellement de monde!
*Georges.*  Oui! Où est la bibliothèque?
*Martine.*  Je ne sais pas. La dernière fois que nous sommes venus à Nantes, j'avais trois ans!
*Georges.*  C'est vrai?
*Martine.*  J'ai téléphoné à Tochiko et je lui ai demandé de venir.
*Georges.*  Pourquoi?
*Martine.*  Pour nous aider.
*Georges.*  Super. Où est-ce qu'on la retrouve?
*Martine.*  On s'est donné rendez-vous pour dix heures, à l'office du tourisme.
*Georges.*  Chouette. Mais … où est l'office du tourisme?
*Martine.*  Attends. Quelle heure est-il?
*Georges.*  C'est toi qui as la montre.
*Martine.*  Tu m'embêtes. Ouf! La voilà. Il est dix heures moins dix.
*Georges.*  Donc, on a dix minutes.
*Martine.*  J'ai un frère intelligent.

| | |
|---|---|
| la dernière fois | the last time |
| tellement de monde | so many people |
| je lui ai dit de (+ infin.) | I told her to … |
| se donner rendez-vous | to arrange to meet |
| embêter | to irritate |

Maintenant, travaillez à deux: Préparez et présentez le dialogue.

## Exercice 7.2

Copie et complète, avec un seul mot de la case:

1. Georges et Martine veulent … la bibliothèque.
2. Martine … téléphoné à Tochiko.
3. A la gare, il y a … de … .
4. Ils … aller … l'office du tourisme.
5. Tochiko … être à l'office de … à 9 h 50.
6. Martine … qu'elle … un frère intelligent!

| | | |
|---|---|---|
| tourisme | beaucoup | va |
| trouver | dit | à |
| vont | a | monde |
| | a | |

## Exercice 7.3

Passe le CD pour écouter le dialogue:

*Martine.* Je vais demander à cette dame. Excusez-moi madame, pour aller à l'office du tourisme, s'il vous plaît?

*Dame.* Je suis désolée. Je ne suis pas d'ici. Je ne sais pas.

\* \* \*

*Martine.* Si tu demandais à un employé?

*Georges.* D'accord. S'il vous plaît, monsieur. Pour aller à l'office du tourisme?

*Employé.* Il y en a deux. Le plus proche, c'est Place du Maréchal Foch. Prenez à gauche puis tournez à droite dans la rue Henri IV, descendez la rue et ensuite prenez la deuxième rue à gauche et c'est en face de la cathédrale.

*Georges.* Merci, monsieur.

*Employé.* A votre service!

\* \* \*

*Martine.* Tiens! Voici Tochiko! Salut! Ça va?

*Tochiko.* Ça va bien. J'ai déjà demandé les directions. C'est assez loin, mais c'est facile. Il faut prendre le tramway, ligne 1, direction Orvault et descendre à l'université.

*Martine.* Génial. On y va?

| | |
|---|---|
| pour aller à … ? | how do I get to…? |
| désolé | sorry |
| d'ici | from here |
| si tu demandais | why don't you ask? |
| il y en a deux | there are two *of them* |
| loin | far; a long way |
| assez | quite; fairly |
| descendre de | to get off (a bus, etc.); to get out of (a car) |
| on y va? | shall we go? |

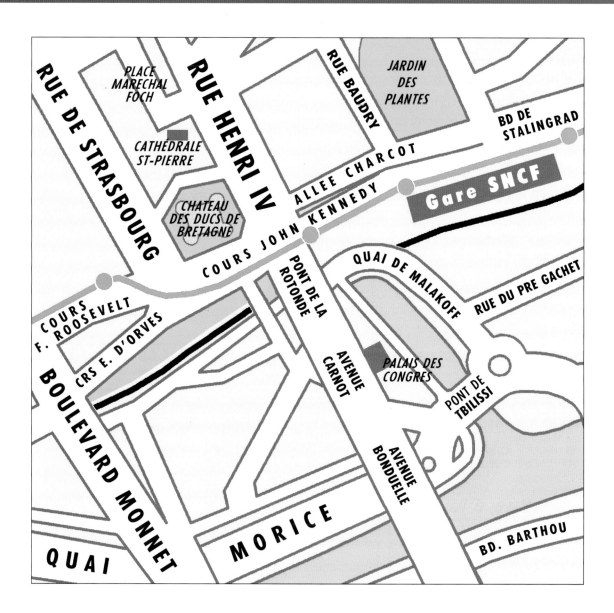

## Les nombres ordinaux - how to say first, second, third

| | | |
|---|---|---|
| 1st | premier, première | 1er, 1ère |
| 2nd | deuxième | 2e or 2ième |
| 3rd | troisième | 3e or 3ième |
| 4th | quatrième | 4e or 4ième |
| 5th | cinquième | 5e or 5ième |

## Exercice 7.4

Trouvons notre chemin!
*Let's find our way!*

Avant de commencer, voici quelques rappels:

| | |
|---|---|
| à gauche | to the left |
| à droite | to the right |
| tout droit | straight on |
| en face de | opposite |
| avant | before |
| devant | in front of |
| sur 100 mètres | for 100 metres |
| tourne, tournez | turn |
| va, allez | go |
| continue, continuez | go on; keep going |
| traverse, traversez | cross |
| prends, prenez | take |
| le long de | along |

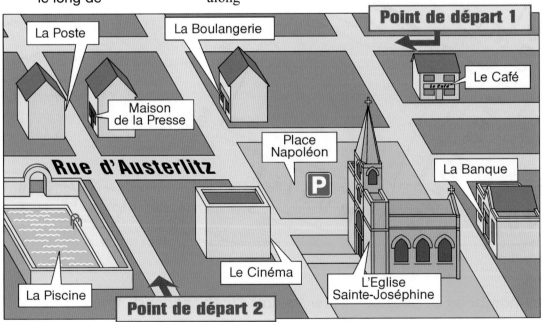

Regarde le plan. Suis les directions du point de départ 1. Où mènent-ils?
*Look at the street map. Follow the directions from starting point 1. Where do they lead?*

1. Va tout droit. Prends la deuxième rue à gauche. C'est sur ta gauche.
2. Prends la première rue à gauche, traverse la Place Napoléon, et c'est après le cinéma à gauche.
3. Prends la première à gauche, traverse le parking, continue le long de la Rue d'Austerlitz, puis prends la première rue à droite. C'est en face de la poste.
4. Prends la première à gauche. Continue sur 150 mètres. C'est en face de l'église.

## Exercice 7.5

Maintenant, donne des directions du point de départ 2:

1. à la boulangerie
2. à la poste
3. à l'église
4. à la banque
5. à la Maison de la Presse

## Un peu de grammaire:
## Dire à quelqu'un de faire quelque chose

*How to tell someone to do something*

In the first dialogue, you will have noticed the phrase je lui ai dit de venir = 'I told her to come'. If we look at the phrase in detail, we can see how to tell or ask people to do things in French. As usual, it is not at all difficult as long as you remember the **à** and the **de**. By now you should be discovering that, because you have learnt the basic things really well, the more advanced language is not too hard to master.

Let's look at the difference between the French and English ways of using this phrase:

English:     She told her to smile.

French:     Elle **lui** a dit **de** sourire.

Here are some more examples of this construction:

Elle a dit à Tochiko de venir.
She told Tochiko to come.

Maman a demandé à Martine d'aider.
Mum asked Martine to help.

Philippe dit à Georges de fermer la fenêtre.
Philippe tells Georges to close the window.

When we use nouns that are *not people's names*, we still have to remember the **à**:

Georges a demandé **au** professeur **de** répéter l'explication.
Georges asked the teacher to repeat the explanation.

Le prof a dit **aux** élèves **de** sortir en silence.
The teacher asked the pupils to go out quietly.

## Exercice 7.6

Traduis en anglais:

Be careful to notice which sentences are in the présent, and which are in the passé composé!

1. Je dis à maman de m'aider.
2. Tu demandes à papa de fermer la porte.
3. Elle dit à son frère de se lever.
4. Vous demandez au prof d'expliquer la leçon.
5. Martine dit à Georges de parler à l'employé.
6. J'ai demandé à Pauline de me donner du pain.
7. Tu as demandé au frère de Paul de t'accompagner?
8. Tochiko a demandé à l'employée de lui donner un dépliant*.
9. Le policier a dit à Georges de prendre la première rue à droite.
10. Marie-Claire a demandé à la sœur de Philippe de venir à la maison.

* un dépliant = a leaflet

## Exercice 7.7

Traduis en français:

Once again, be careful to notice which sentences are in the présent, and which are in the the passé composé!

1. Mum tells Georges to open the window.
2. Tochiko asks the waiter to bring some bread.
3. The policeman tells Martine to take the second on the right.
4. She asks the employee to give a leaflet to her brother.
5. Georges asks his father to help.
6. Marie-Claire told her brother to pass the salt.
7. Pauline asked the teacher to explain.
8. The teacher told her to look in her book.
9. They (f.) asked their friends to accompany them.
10. We told Georges' sister to come to our house.

## Exercice 7.8

Passage de lecture. Lis le passage à haute voix.

A la bibliothèque.

Martine, Georges et Tochiko sont sortis du l'office du tourisme, et ont pris le tramway pour aller à la bibliothèque. Après dix minutes, ils sont arrivés à l'université, où ils sont descendus. Ils ont demandé à un étudiant le chemin de la bibliothèque. A l'intérieur, ils ont vite trouvé un gros livre avec l'histoire de leur village. C'était très intéressant, et ils ont passé deux heures à étudier l'histoire du village pendant les années 40. Le village était occupé par les Allemands à ce moment-là. Au début, tout était assez calme. Il y avait seulement un jeune soldat dans le village. Mais plus tard, la situation est devenue difficile. Les Allemands ont déporté beaucoup de jeunes hommes pour aller travailler en Allemagne. Martine a trouvé une liste des personnes déportées. Sur la liste, elle a lu le nom: Lévy, Jean-Paul.

Ils ont trouvé Tochiko et tous les trois sont sortis de la bibliothèque. Ils ont acheté des tickets de bus, et ils sont retournés au centre ville en bus où ils ont décidé de déjeuner au MacDo.

| | | |
|---|---|---|
| un(e) étudiant(e) | a student | le chemin = the way |
| étudier | to study | |
| un soldat | a soldier | |
| un Allemand | a German | |

## Exercice 7.9

Dans le passage ci-dessus (above), trouve le français pour:

1. they took the tram
2. they got off
3. they asked a student to help them
4. inside
5. they quickly found
6. they spent two hours studying
7. during the forties
8. at the beginning
9. she read the name
10. some bus tickets

## Exercice 7.10

Réponds à une lettre. Imagine que tu es Georges et que tu as reçu cette lettre. Ecris une lettre en français, où tu réponds à toutes les questions. N'oublie pas: la semaine dernière tu es allé à Nantes …

> Cher Georges,            Epsom, Angleterre, le 7 juin
>
> J'espère que tu vas bien. Et tes parents? Moi, je vais bien. Ici, il fait assez chaud. Quel temps fait-il en France? Je préfère quand il fait chaud. Et toi?
>
> Qu'est-ce que tu as fait la semaine dernière? Tu as dit que tu voulais aller à Nantes. Pourquoi? Es-tu allé seul ou avec Martine?
>
> Ecris-moi vite. Ton ami, Peter.

## Un peu de grammaire: N'oublions pas les verbes!

You have now become used to using verbs in all sorts of different tenses (I hope!) and several *constructions* – ways of speaking which are not quite the same as in English. Let's do some practice using the verbs that Georges, Martine and Tochiko needed when they went to town. Make sure you know (i.e. can recite confidently!) their **présent** and can form their **passé composé** and **imparfait**:

| | |
|---|---|
| aller = to go | chercher = to look for |
| trouver = to find | demander = to ask (for) |
| faire = to do; to make | lire = to read |
| tourner = to turn | traverser = to cross |
| continuer = to continue | prendre = to take |

# Exercice 7.11

Traduis en français:

1. They (f.) go.
2. She finds.
3. We are looking for.
4. I turn.
5. You (pl.) carry on.
6. We (on) read.
7. They (m.) do.
8. You (s.) ask.
9. He crosses.
10. They (f.) take.
11. She doesn't go.
12. You (pl.) don't find.
13. I am not reading.
14. You (pl.) do not turn.
15. We don't cross.
16. Are you (s.) doing?
17. Is he looking for?
18. Do we take?
19. Is she asking?
20. Do you find?

# Exercice 7.12

Ecris au passé composé:

1. Elle va à Nantes.
2. Nous trouvons un gros livre d'histoire.
3. Tu continues le long de la Rue Grimaldi.
4. Vous tournez à droite après le cinéma.
5. Je vais à la Maison de la Presse.
6. Nous faisons des recherches.
7. Vous trouvez des informations?
8. Tu prends des photos.
9. On traverse la Place Napoléon.
10. Tu lis le journal régional.
11. On choisit le roman policier.
12. Vous allumez la télévision.
13. Philippe demande un plan.
14. Il entre dans l'office de tourisme.
15. Nous finissons le petit déjeuner.
16. Des touristes arrivent à la rivière.
17. Marie-Claude pose des questions.
18. Maman écrit une liste.
19. Les deux enfants font du shopping.
20. Tu écoutes la radio ce matin.

## Exercice 7.13

Ecris au futur immédiat (aller + infinitif):

Exemple: Je trouve.     >     Je **vais trouver**.

1. Tu cherches des informations.
2. Maman attend à la maison avec papa.
3. Martine lit les instructions à la bibliothèque.
4. Georges ne prend pas de photos.
5. Ils vont à l'université en tramway.
6. Tochiko rencontre ses amis à l'office de tourisme.
7. Martine et Georges trouvent l'histoire intéressante.
8. Le frère de Tochiko ne vient pas souvent à Nantes.
9. Georges est fatigué.
10. On mange au MacDonald's.

## Exercice 7.14

Maintenant, écris toutes les verbes de l'exercice 7.13 à l'imparfait.

Exemple: Tu cherches.     >     Tu **cherchais**.

### On se détend un peu!
## Exercice 7.15

Jeu de devinettes: Trouve les réponses à ces définitions:

1. On peut manger ici mais ce n'est pas un restaurant.
2. Ici, il y a beaucoup d'étudiants et d'étudiantes.
3. On le prend pour aller en ville mais ce n'est pas un bus.
4. Ce sont des images, mais on ne les dessine pas.
5. Ici, on peut lire des livres, mais on ne peut pas les acheter.
6. On peut faire de la natation ici.
7. Toutes les semaines, on passe un nouveau film ici.
8. Tous les jours, on achète du pain frais ici.
9. Les personnes qui visitent une ville viennent ici pour trouver des informations.
10. C'est ici qu'on prend le train.

## Exercice 7.16

Dessine ta ville idéale!
Fais un beau dessin, ou un plan, de ta ville idéale. Tu peux dessiner:

| | |
|---|---|
| un cinéma | a cinema |
| une boulangerie | a baker's shop |
| un bureau de poste | a post office |
| une Maison de la Presse | a newsagent |
| un café | a café |
| un restaurant | a restaurant |
| une rivière et un pont | a river and a bridge |
| un rond-point | a roundabout |
| un carrefour | a crossroads |
| la mairie | the town hall |
| une bibliothèque | a library |
| une librairie | a bookshop |
| un magasin de jouets | a toy shop |
| une superette | a small supermarket |
| une gare SNCF | a train station |
| une station de métro | an underground station |
| un office de tourisme | a tourist office |
| un étang | a pond |
| des champs | fields |
| des arbres | trees |
| une ferme | a farm |
| un parc | a park |
| un château | a château (anything from a large country house to a castle) |

Et finalement:

In France, streets, squares, avenues and parks are nearly always named after famous people, events or dates. Why not name your streets after people you admire, to make the town you have invented really special? Use French words for 'street' and so on, then make your hero immortal by adding your choice of name!

Exemples:

| | |
|---|---|
| Rue = Street | e.g. Rue Caroline |
| Avenue = Avenue | e.g. Avenue du Prince Rainier de Monaco |
| Boulevard = Boulevard (long, wide street) | e.g. Boulevard Jean-Paul II |
| Place = Square | e.g. Place James Bond |

## Exercice 7.17

Maintenant, travaillez à deux. Donne des directions à ton/ta partenaire. Utilise le plan que tu as dessiné:

Exemple:

A.     Tu traverses le pont, puis tu prends la deuxième rue à gauche. Où es-tu?
B.     Je suis au café.
A.     Correct!

## Exercice 7.18

Demande des directions à ton/ta partenaire. Utilise le plan de B:

Exemple:

A.     Est-ce qu'il y a un cinéma près d'ici, s'il te plaît?
B.     Il y a deux cinémas. Le Dragon et le Rex.
A.     Euh … Le Dragon.
B.     Tu passes devant la mairie, puis tu tournes à gauche.
A.     Merci. C'est loin?
B.     Non.

## Attention aux faux amis!

*Beware of false friends!*

Un faux ami is a word or phrase which looks as though it means something in English, but turns out to mean something completely different!

In this chapter, you will have noticed that une librairie does not mean a library and that there are two terms for the Town Hall – la Mairie and l'Hôtel de Ville. You'd be a bit disappointed to wander into l'Hôtel de Ville hoping to book a room!

Why not make your own list of these tricky words and phrases as you go through the book – and beyond!

# Vive la France!

Tu aimes la musique? Tu aimes le théâtre ou la danse? En été, il y a toutes sortes de festivals dans tout l'hexagone. En géneral, ils durent une ou deux semaines. Il y a des festivals de musique classique, de musique contemporaine, d'opéra, de jazz, de théâtre, de danse; bref, tous les genres de spectacle. Dans le sud de la France, c'est possible d'assiter à des concerts en plein air comme à Aix-en-Provence ou à Nîmes, où on monte des spectacles dans les arènes romaines. Dans toutes les villes et les petits villages de France on peut trouver un concert soit dans l'église soit dans la salle des fêtes, sans oublier le Festival International du Film de Cannes où se réunissent toutes les grandes stars du cinéma!

| l'hexagone | France (because of its geographical shape) |
| bref | in short |
| en plein air | outdoor; in the open |
| également | also; equally |
| soit … soit | either … or |
| se réunir | to meet; to come together |

(a)   Qu'as-tu compris? Ecris quelques lignes en anglais sur les festivals d'été en France.

(b)   Dessine un poster en français soit sur papier soit avec l'ordinateur pour un concert ou spectacle en France. Donne les dates, les heures et les prix (en euros, bien sûr!).

(c)   In English, say what is unusual about the French word *festival!*

## Vocabulaire 7

**Des mots indispensables de ce chapitre:**

**Les noms**

| | |
|---|---|
| les années 40 | the forties; the 1940s |
| la bibliothèque | the library |
| le carrefour | the crossroads |
| le champ | the field |
| le début | the start; the beginning |
| l'étang (m.) | the pond |
| l'étudiant(e) (m./f.) | the student |
| la gare SNCF | the train station |
| le magasin de jouets | the toy shop |
| le pont | the bridge |
| la rivière | the river |
| le rond-point | the roundabout |
| la superette | the small supermarket |
| le ticket de bus | the bus ticket |
| le soldat | the soldier |

**Les verbes**

| | |
|---|---|
| descendre de | to get off; to get out of |
| se donner rendez-vous | to arrange to meet |
| embêter | to irritate |
| étudier | to study |
| monter dans | to get into |
| rencontrer | to meet |

**D'autres expressions utiles**

| | |
|---|---|
| à gauche | to the left |
| à droite | to the right |
| tout droit | straight on |
| en face de | opposite |
| devant | in front of |
| sur 100 mètres | for 100 metres |
| désolé | sorry |
| on y va? | shall we go? |
| pour aller à ...? | how do I get to ...? |

## Bravo!

Tu as fini le septième chapitre!

In Chapter 8, you will learn more about towns and practise talking and writing about shopping.

# Chapitre 8

## On fait les magasins!

In this chapter, you will learn a little more about a French town and spending your hard-earned pocket money! You will also meet some new, useful constructions and look at some other new grammar.

### Exercice 8.1

**CD1: 33**

Passe le CD pour écouter le dialogue:

*Martine.*    Voilà! Ça y est! On a trouvé la réponse!
*Georges.*    Quelle réponse?
*Tochiko.*    On m'a dit que ton frère était intelligent?
*Martine.*    Ce n'est pas vrai.
*Georges.*    Quelle réponse?
*Martine.*    La signification des lettres J-P. L. – tu sais – sur la boîte en argent!
*Georges.*    Ah oui. Alors, c'est qui?
*Martine et Tochiko.*    Jean-Paul Lévy!
*Georges.*    Oui. C'est bien possible, mais …
*Martine.*    Georges, tu es insupportable.
*Georges.*    Je sais.
*Tochiko.*    Et maintenant, on va faire les magasins! Il est quelle heure?
*Martine.*    Attends. Il est … trois heures moins le quart.
*Tochiko.*    Parfait! On fait du lèche-vitrines, et … qui sait?

| | |
|---|---|
| ça y est! | that's it! there we are! |
| on m'a dit que … | I was told (that) … |
| l'identité (f.) | the identity |
| bien possible | very likely |
| insupportable | impossible (when describing a person!) |
| faire les magasins | to 'hit' the shops; to go shopping |
| faire du lèche-vitrines | to go 'window-shopping' |

Maintenant, travaillez à trois. Préparez et présentez le dialogue en classe.

## Exercice 8.2

Réponds en anglais aux questions ci-dessous:
1. What does Georges initially not understand?
2. How does Tochiko make fun of him?
3. What is the 'answer' that they have found?
4. What is Georges reaction?
5. What are they going to do now?
6. Why do you think Tochiko says 'parfait!' on being told what time it is?

## Exercice 8.3

Tu es à Nantes. Ecris une carte postale en français à un(e) ami(e) français(e). Ecris deux ou trois lignes. Voici quelques notes pour t'aider:

*You are in Nantes. Write a postcard in French to a French friend. Write two or three lines. Here are some notes to help you:*

| | |
|---|---|
| venir à Nantes | il fait beau/mauvais/du soleil |
| voyager par le train | confortable/rapide |
| aller en tramway | facile/pas cher (cheap) |
| visiter le château | intéressant/magnifique |
| manger | au MacDo/au restaurant |
| acheter | un sandwich/des cartes postales |

This sort of exercise is good for seeing just how well you know the language we have covered and how able you are to put it into action. You'll need to use the right parts of the verbs, choosing the right tenses, and add comments using the adjectives given. You can also add anything else you want, of course; but you must be pretty sure that what you do use is correct. Try hard not to use language you are unsure of.

## Exercice 8.4

Passe le CD pour écouter le dialogue:

(Sonnerie de téléphone)
*Papa.*   Allô?
*Martine.*   Allô Papa, c'est moi!
*Papa.*   Salut mon chaton. Où êtes-vous?
*Martine.*   A Nantes. Ça y est. On a réussi!
*Papa.*   C'est vrai? Alors?
*Martine.*   Je vais tout te raconter en rentrant. On vient de manger et on va faire les magasins.
*Papa.*   D'accord. Tu m'appelles en arrivant à la gare? Très bien. A plus tard!

\* \* \*

*Maman.*   Alors?
*Papa.*   Il paraît qu'ils ont trouvé quelque chose. Martine est aux anges!
*Maman.*   Formidable. Je suis en train de faire du café. Tu en veux?
*Papa.*   Mais oui!

| | |
|---|---|
| mon chaton | 'sweetie' |
| réussir | to succeed; to be successful |
| en rentrant | on coming home (i.e. when we get back) |
| on vient de manger | we've just eaten |
| en arrivant | on arriving |
| à plus tard! | see you later! |
| il paraît que | it seems that |
| être aux anges | to be over the moon |
| en train de faire | in the process of making |
| tu en veux? | do you want some? |

## Un peu de grammaire: en + the present participle

How to say: 'on ...ing'; 'by ...ing'; 'while ...ing'

Look again at the examples in the dialogue, and their possible meanings in English:

en rentrant = on coming home; while coming home; by coming home
en arrivant = on arriving; while arriving; by arriving

This is a very easy construction, which covers a wide range of English expressions. You need simply to know the **participe présent**, or present participle, of the verb you want to use.

## How to form the present participle

Just as you did with the **imparfait**, use the nous form of the present tense, without '-ons':

| (nous) faisons | > | fais- |
|---|---|---|
| then add -ant: | > | faisant |

The exceptions are:

| avoir | > | ayant = having |
|---|---|---|
| être | > | étant = being |
| savoir | > | sachant = knowing |

Also, don't forget that -er verbs whose stem ends in 'g' have that extra 'e' before the ending:

| manger | > | mangeant = eating |
|---|---|---|

## Exercice 8.5

Donne le participe présent de:

1. mettre
2. sonner
3. appeler
4. finir
5. vendre
6. lire
7. choisir
8. partir
9. ouvrir
10. ranger

## Exercice 8.6

Traduis en français:

Exemples: By playing. = En jouant.
On arriving. = En arrivant.

1. By looking.
2. On putting.
3. While finding.
4. On leaving (use partir).
5. By doing.
6. On listening to the radio.
7. While travelling to Nantes.
8. By asking for a street map.
9. While watching television.
10. On receiving your letter.

*Michel joue de la guitare en mangeant et en écoutant son iPod*

## Exercice 8.7

Ecris des phrases complètes, en utilisant les verbes entre parenthèses, comme dans l'exemple, et puis traduis en anglais:

*Write complete sentences, by using the verbs in brackets, as in the example, and then translate into English:*

Exemple:

(arriver) à la gare, je (acheter) un journal.
**En arrivant** à la gare, j'**ai acheté** un journal.

1. (écouter) la radio, je (chanter).
2. (faire) la cuisine, papa (regarder) la télévision.
3. (voyager) à Nantes, Martine (lire) un magazine pour les ados.
4. (arriver) à la bibliothèque, Georges (demander) des directions.
5. (entrer) dans la salle de bains, je (tomber).

## Exercice 8.8

Passe le CD pour écouter le dialogue:

*Martine.*    Dis, Tochiko, tu veux acheter des vêtements?
*Tochiko.*    Peut-être. Mais je cherche surtout des souvenirs de Nantes.
*Georges.*    Moi aussi. On achète un cadeau pour Mamle?
*Martine.*    Bien sûr. Alors, il faut trouver un magasin de cadeaux et de souvenirs.
*Tochiko.*    On m'a dit qu'il y a de jolies boutiques dans les petites rues près du château.
*Martine.*    C'est vrai. On peut y aller à pied. Ce n'est pas loin. Tu reçois combien d'argent de poche, toi, d'habitude?
*Tochiko.*    Ça dépend. Dix, quinze euros par semaine. Mais il faut faire des petits boulots!
*Georges.*    Nous aussi. Moi, je lave la voiture ou je tonds la pelouse.
*Martine.*    Moi, je fais des courses pour les voisins de temps en temps.
*Tochiko.*    Ah bon. Moi, j'aide maman à faire le ménage.

* * *

*Tochiko.*    Voilà. Nous sommes arrivés. «Au Cadeau Doré.» On entre?
*Martine.*    Mais oui. Il y a de tout!
*Georges.*    Je voulais acheter un T-shirt, mais ils sont chers.
*Martine.*    Oui. Mais il y a de jolis porte-clés, ou des casquettes.
*Tochiko.*    Je vais acheter un petit flacon de parfum pour ma mère. Et des bonbons pour mes frères et sœurs!
*Martine.*    Madame, s'il vous plaît - ce T-shirt rouge, c'est combien?
*Vendeuse.*    Celui-ci avec le bateau dessus?
*Martine.*    Non. Celui-là derrière.
*Vendeuse.*    Treize euros, mademoiselle.

Une heure plus tard, à la gare SNCF…

*Tochiko.*    Bon. Voilà notre train. Il part dans deux minutes! Il faut se dépêcher!
*Martine.*    Les billets! On n'a pas composté les billets!

| | |
|---|---|
| un petit boulot | a little job; a task |
| tondre la pelouse | to mow the lawn |
| il faut faire | it is necessary to do |
| un porte-clés | a key ring |
| une casquette | a cap |
| un flacon de parfum | a flask of perfume |
| celui-ci | this one (m.) |
| celui-là | that one (m.) |
| dessus | on it; on top |
| le/la voisin(e) | the neighbour (m./f.) |
| de temps en temps | from time to time; occasionally |
| composter un billet | to validate a ticket (get it stamped in a machine) |
| se dépêcher | to hurry up |

## Un peu de grammaire:
## Encore des constructions!

1.    venir de (+ infin.) = to have just ...ed

Exemple: Il vient de finir. = He has just finished.

This is not as strange as it may seem, because if you *come from* doing something, that means it was the *last thing* you did!

Use the present tense of venir, then add de, then any infinitive. The infinitive never changes, so all you need to remember is venir!

Voici quelques exemples:

> Je viens de finir mon déjeuner. = I have just finished my lunch.
> Elle vient de voir les infos. = She has just seen the news.
> Marcel vient d'arriver. = Marcel has just arrived.

2.    être en train de (+ infin.) = to be (in the process of) ...ing

Exemple: Je suis en train de faire. = I am (in the process of) doing/making.

Use the present or imperfect of être, add the phrase en train de, then any infinitive. Again, all you need to do is make sure you have the right form of être.

## Exercice 8.9

Traduis en anglais:

1.    Elle vient de téléphoner à Mamie.
2.    On vient de manger au restaurant.
3.    Martine vient de payer son T-shirt.
4.    Tu viens de te lever? Mais il est déjà dix heures!
5.    Papa est en train de lire son journal.
6.    Maman est en train de préparer le déjeuner.
7.    Tu es en train de choisir des souvenirs.
8.    Monsieur Simonneau était en train de faire du jardinage.
9.    Quand je suis arrivé, maman était en train de lire un magazine.
10.    Tochiko est en train de ranger sa chambre.

## Just

Translating the English word 'just'

Remember that 'just' can mean different things in English. Consider these examples:

> He has **just** started. (past) = Il vient de commencer.
> I am **just** finishing. (present) = Je suis en train de finir.

Check that you have the right meaning as you go through the next exercise.

## Exercice 8.10

Traduis en français, en utilisant 'être en train de' ou 'venir de':

1.  I have just got up.
2.  We have just had lunch.
3.  She is reading.
4.  They (*m.*) are buying some souvenirs.
5.  Martine has just chosen a T-shirt.
6.  At a quarter to three, Dad was listening to the radio.
7.  Martine was drinking some tea.
8.  Tochiko has just phoned her parents.
9.  I have just found a history of the village.
10. Georges is just choosing a cap.

## Exercice 8.11

Exercice oral. Travaillez à deux. Demande à ton/ta partenaire:

«Qu'est-ce que tu viens de faire?»

Il ou elle doit répondre en parlant des activités ci-dessous:

Exemple:

A.  Qu'est-ce tu viens de faire?
(ranger la chambre)
B.  Je viens de ranger ma chambre.

1.  prendre le déjeuner
2.  recevoir une lettre
3.  écrire à mes grands-parents
4.  lire un article
5.  se lever
6.  regarder la télévision
7.  discuter avec les ami(e)s
8.  écouter la radio
9.  faire un dessin
10. attendre le bus

## Exercice 8.12

Exercice oral. Travaillez à deux. Demande à ton/ta partenaire:

«Qu'est-ce que tu es en train de faire maintenant?»

Il ou elle doit répondre en parlant des activités de l'Exercice 8.11:

Exemple:
A.  Qu'est-ce que tu es en train de faire maintenant?
(ranger ma chambre)
B.  Je suis en train de ranger ma chambre.

## Exercice 8.13

Practise these expressions more by miming the activities and asking the class what they think you are doing or what you have just done. The best entertainment is provided when the mime is not all that good! For example:

A.   Qu'est-ce que je suis en train de faire?
B.   Tu ... tu es en train de ranger ta chambre!
A.   Non! Je suis en train de téléphoner!

Here are some more activities to mime:

monter à bicyclette
faire de l'équitation
faire de la natation
acheter du pain
se coucher
boire ou manger
jouer de la guitare ou du piano

## Exercice 8.14

Fais correspondre les deux moitiés de phrase. Copie toute la phrase:

1. **En arrivant au magasin**
2. Quand papa est fatigué
3. Je ne regarde pas la télévision

4. Elle est en train de lire le livre
5. Pourquoi n'as-tu pas ouvert
6. Peter va écrire en français et
7. En entrant dans l'office de tourisme
8. Les informations que je voulais
9. Quel temps faisait-il en Italie
10. A quelle heure va-t-on

(a)   ouvrir le magasin de souvenirs?
(b)   qu'elle a choisi ce matin.
(c)   **j'ai regardé les T-shirts et les autres souvenirs.**
(d)   Martine va écrire en anglais.
(e)   quand j'ai mal aux yeux.
(f)   quand vous étiez là en vacances?
(g)   n'étaient pas là.
(h)   le cadeau que je t'ai donné?
(i)   j'ai demandé un dépliant sur la ville.
(j)   il ne veut pas discuter avec moi.

## La Ponctuation

Now might be a good time to learn some French punctuation. You never know when it might come in handy.

| . | point | ? | point d'interrogation |
|---|---|---|---|
| , | virgule | ! | point d'exclamation |
| ; | point-virgule | ( ) | les parenthèses |
| : | deux points | « | ouvrez les guillemets |
| – | un trait | » | fermez les guillemets |

## Exercice 8.15

Passe le CD pour écouter le dialogue:

*Papa.*     Martine vient de téléphoner. Ils sont sur le point d'arriver à la gare.
*Maman.*     Tu vas aller les chercher?
*Papa.*     Bien sûr! Tu viens avec moi?
*Maman.*     Non. Je reste ici.
*Papa.*     N'oublie pas que c'est moi qui fais la cuisine ce soir!
*Maman.*     Ne t'inquiète pas! Je n'ai pas oublié!

* * *

*Martine.*     Salut maman!
*Maman.*     Mais … où est Tochiko?
*Georges.*     Son père est venu la chercher à la gare.
*Maman.*     Oh, quel dommage! Je l'attendais pour dîner.
*Georges.*     Je crois que c'est l'anniversaire de sa mère.
*Papa.*     Alors, quelles sont les nouvelles?
*Martine.*     Je crois qu'on a découvert le propriétaire de la petite boîte.
*Maman.*     Mais c'est incroyable! C'est qui donc?
*Georges.*     C'est un déporté de guerre du village qui s'appelle Jean-Paul Lévy. Il y avait une liste. C'était le seul «J-P. L.»
*Maman.*     C'est possible, mais il doit être mort.
*Martine.*     Mais il doit avoir de la famille. Albertine?
*Georges.*     Oui! C'est peut-être la femme de Jean-Paul!
*Maman.*     Ils étaient très jeunes.
*Papa.*     Ou sa sœur?
*Maman.*     Comment est-ce qu'on va savoir?

Maintenant, préparez et présentez le dialogue devant la classe.

| | |
|---|---|
| sur le point d'arriver | about to arrive |
| ne t'inquiète pas! | don't worry |
| quel dommage! | what a shame!; what a pity! |
| incroyable | incredible |
| c'est qui donc? | so who is it? |
| de la famille | some relatives |

## Exercice 8.16

Réponds en anglais aux questions:

1.     How does Dad know Martine and Georges need picking up?
2.     What has Mum remembered?
3.     Why is Tochiko not able to have supper with Georges and Martine?
4.     Why does Mum think Albertine was not Jean-Paul's wife?
5.     What question does Mum ask at the end?

## Exercice 8.17

Déchiffre ces mots:

YARMWAT     UBS     ATRIN     ELGIN     KICETT
RETMOSPOC     DOCMA     MURFAP     UQSETCTEA     ACADEU

## Exercice 8.18

Ecris ces phrases dans un ordre logique!

1.  En arrivant à la gare, j'ai acheté un ticket, et je l'ai composté.
2.  J'ai pris des céréales, du jus d'orange et du café.
3.  Je suis allé à la gare à pied, parce qu'il faisait beau.
4.  C'était le week-end!
5.  Je suis descendu et j'ai préparé mon petit déjeuner.
6.  Quand j'ai quitté la maison, il était huit heures cinq.
7.  Je me suis levé.
8.  Je suis arrivé à mon bureau, mais il était fermé!

## Exercice 8.19
## Dictée

In a dictée, a short text is read to you four times. Firstly, the whole paragraph is read out so you can have a chance to understand the story; secondly, each *phrase* is read out and immediately repeated, with enough time for you to write it down; finally, the whole paragraph is read again for you to check. This learning exercise is well-suited to French, as you have to think about things which rely on knowledge as well as just hearing. And don't forget the marks of punctuation you learnt on page 112.

Ecoute le CD et Bon courage!

# Vive la France!

Ce pont fait partie de l'aqueduc extraordinaire construit par les Romains pour conduire les eaux de la source de la Fontaine d'Eure à Uzès jusqu'à la ville de Nîmes, un parcours de près de cinquante kilomètres. Le Pont du Gard est aujourd'hui le monument antique le plus visité de France. Sa construction, qui a probablement duré 15 ans, s'est achevée sous l'empereur Trajan pendant les années 60 de notre ère. Composé de trois rangées d'arches superposées, il mesure 49m de haut.

(a)  Qu'as-tu compris? Ecris quelques lignes en anglais sur le Pont du Gard.

(b)  Trouve le français pour:

    1.  Is part of.
    2.  Built by.
    3.  A distance of.
    4.  Was completed.
    5.  A.D. *(anno domini)*

(c)  Ecris ces phrases dans le bon ordre!

    1.  le Pont du Gard   l'année   j'ai   dernière   visité
    2.  magnifique   c'est   construction   une   antique
    3.  les   construit   pont   Romains   ont   le
    4.  transporte   d'Uzès   l'aqueduc   à   l'eau   Nîmes
    5.  d'arches   a   étages   il   trois   y

## Vocabulaire 8

**Des mots indispensables de ce chapitre:**

**Les noms**

| | |
|---|---|
| le porte-clés | the key ring |
| la casquette | the cap |
| le flacon de parfum | the bottle of perfume |
| le petit boulot | the little job; the task |
| l'identité (f.) | the identity |

**Les verbes**

| | |
|---|---|
| il faut (faire) (+ infin.) | it is necessary (to) |
| faire les magasins | to 'hit' the shops; to go shopping |
| réussir | to succeed; to be successful |
| composter un billet | to validate a ticket |
| s'inquiéter | to worry |
| venir de (+ infin.) | to have just ...ed |
| être en train de (+ infin.) | to be in the process of ...ing |
| être sur le point de (+ infin.) | to be about to ... |

**D'autres expressions utiles**

| | |
|---|---|
| ça y est! | that's it! there we are! |
| on m'a dit que ... | I was told (that) ... |
| insupportable | impossible (describing a person) |
| à plus tard! | see you later! |
| il paraît que | it seems that |
| tu en veux? | do you want some? would you like any? |
| dessus | on it; on top |
| de temps en temps | from time to time; occasionally |
| c'est dommage! | it's a pity! |
| incroyable | incredible |

## Bravo!

Tu as fini le huitième chapitre!

Now, it is time to revise all you have done in the two books. We will begin, in Chapter 9, with Book 1.

# Chapitre 9

## Révision du Premier Livre

In this chapter, you will be able to revise all the French you learnt in Book I. You will also have some practice at the passé composé, to keep it fresh in your mind:

## Exercice 9.1
## Salut (encore une fois) les numéros!

Martine veut utiliser cet article pour ses devoirs. Peux-tu l'aider? Ecris les statistiques en chiffres.
*Martine wants to use this article for her homework. Can you help her? Write down the statistics in figures.*

**La France et l'Europe – quelques statistiques.**
La France a une population de soixante millions d'habitants, c'est à dire cent huit habitants par kilomètre carré. En Belgique, il y a dix millions quatre cent mille habitants, une densité de trois cent quarante habitants par kilomètre carré. En Suisse, on parle français dans l'ouest du pays, et au Luxembourg le français est une des trois langues officielles. Jacques Chirac est le président de la République depuis mille neuf cent quatre-vingt-quinze. La monnaie française est l'euro, depuis l'an deux mille deux. Soixante-quinze pour cent des français habitent dans les villes, dont neuf millions et demi à Paris.

Dans l'article, trouve le français pour:

1. That is to say.
2. Per square kilometre.
3. In the west of the country.
4. The French currency.
5. Per cent.

## Exercice 9.2

Copie et complète les phrases. Remplis les blancs:

1. France: population = …
2. France: densité de population = … / km²
3. Belgique: population = …
4. Belgique: densité de population = … / km²
5. Date de la première élection de Jacques Chirac = …
6. Date de la mise en circulation de l'euro = …
7. Population urbaine (%) = …
8. Population de Paris = …

| | |
|---|---|
| urbain | town (adj.); urban |
| dont | of which |

## Masculin ou féminin?

It is not always easy to tell if a new word is masculine or feminine. As you know from Book I, you must always try to learn the gender when you first learn the word. However, there are a few helpful guidelines which can usually put you on the right track.

1.   Nouns ending in '-ion' (usually '-tion' or '-sion') are feminine:

la télévision   la natation   l'action   la population

2.   Nouns ending in the sound of a vowel are usually masculine:

le bras   le café   le bateau   le vélo

N.B.: la souris (= the mouse) is an exception which computer users will need to know!

3.   Nouns ending in the letter '-e' without an accent are often feminine:

la vache   la bicyclette   la mère   la rue   la voiture

although this rule has lots of exceptions!

le frère (!)   le musée   le lycée   le garage   le coffre

4.   Nouns ending in '-age' are masculine:

le virage   un orage   le ménage   le mariage   le passage

but there are a few notable exceptions:

la page   la cage   la rage   la plage   une image

5.   Nouns ending in '-al' are masculine:

l'hôpital   le cheval   le journal

There are other guidelines, some more helpful than others, but we shall leave it there for the moment.

## Exercice 9.3

Copie ces mots et donne leur genre (masculin ou féminin):

1.   connexion = connection
2.   voisine = neighbour
3.   dépôt = depot; warehouse
4.   vigne = vine
5.   valise = suitcase
6.   nuage = cloud
7.   tasse = cup
8.   cafetière = coffee-pot
9.   tapis = carpet
10.   marteau = hammer

## Exercice 9.4
## Avoir et être au présent

Copie et complète les phrases, avec la bonne forme du verbe 'avoir' ou du verbe 'être', au présent:

1. Christian et Elodie … deux enfants.
2. Martine … la sœur de Georges.
3. La famille de Tochiko … nombreuse.
4. Philippe va au travail à vélo parce qu'il n' … pas de voiture.
5. Je … professeur de français en Angleterre.
6. Mes cousins … étudiants à l'université de Nantes.
7. Vous … des cartes postales, madame?
8. Elles … belles, ces casquettes bleues.
9. Tu … quel âge, Marie-Claire?
10. Nous … trois: mon père, ma sœur et moi.
11. Elle … une assez grande maison.
12. La maison … quatre chambres et deux salles de bain.
13. Où … les journaux de papa?
14. On … un panorama sur toute la vallée.
15. Super! Vous … de la chance!

## Exercice 9.5
## L'âge

Beware: The verbs here are in a variety of tenses!
Traduis en anglais:

1. J'ai treize ans.
2. Mon anniversaire, c'est le trente et un août.
3. Mon frère aîné est plus âgé que ma cousine.
4. Sandrine va avoir douze ans le trois février.
5. Je lui ai offert un cadeau.
6. La veille de mon anniversaire, on a eu une boum.
7. Le lendemain, j'ai regardé la télé.
8. Mon copain Jean-Christophe a onze ans.
9. Les enfants de Caroline ont neuf et sept ans.
10. Quand j'avais quinze ans, le village était calme.

## Exercice 9.6
## Les verbes '-er' du premier groupe

Copie et complète les phrases, avec la bonne forme du verbe au présent:

1.  D'habitude nous (manger) à midi et quart.
2.  Martine (fermer) les volets pour aider papa.
3.  Vous (habiter) loin?
4.  Tu (ranger) ta chambre s'il te plaît.
5.  Sophie et Anne-Marie (chanter) à l'église.
6.  Marcel (coucher) à l'école: c'est un pensionnat.
7.  Je (voyager) en avion quand c'est possible.
8.  Nous (travailler) tous les soirs.
9.  On (donner) de* bonnes notes aux bons élèves.
10. Quelqu'un (sonner) à la porte.
11. Nous (parler) au professeur de maths.
12. Tu (écouter) souvent la radio le matin?
13. Normalement je (regarder) la télévision.
14. Papa (chercher) Martine et Georges à la gare.
15. Mes cousins (étudier) en France.

\* *When* des *is followed by an adjective in the plural coming before the noun,* des *becomes* de (d').

| | |
|---|---|
| la veille | the day before; the eve |
| la veille de Noël | Christmas Eve |
| le lendemain | the next day; the following day |
| le panorama | the view |
| la vallée | the valley |
| la boum | the party (celebration) |
| coucher | to sleep; to spend the night |
| le pensionnat | the boarding school |

## Exercice 9.7
## à, à la, à l', au, aux

Copie les phrases, en insérant le mot qui convient:

1.  On va … cinéma.
2.  Nous allons manger … restaurant ce soir.
3.  Tu es allée … Nantes, Martine?
4.  Thérèse a un magasin de mode … Saint-Mâlo.
5.  J'ai donné du chocolat … enfants.
6.  Ils demandent des informations … mairie.
7.  J'ai téléphoné … frère de Jacques.
8.  Martine a fait des cours de biologie … école.
9.  La grand-mère a écrit une lettre … Albertine.
10. Tu veux aller … piscine?

## Exercice 9.8
### à, au, aux, chez

Traduis en français:

1. To the swimming pool.
2. To the church.
3. To the classroom.
4. At school.
5. At home.
6. To Paris.
7. To Martine's house.
8. At the chemist's.
9. To the animals.
10. To the train station.

## Exercice 9.9
### mon, ma, mes; ton, ta, tes; son, sa, ses

Copie, en insérant le mot qui convient:
*Copy, inserting the suitable word:*

1. C'est (my) frère.
2. Comment il s'appelle, (your) frère?
3. (My) sœur a quinze ans.
4. Où sont (your) stylos?
5. Ils sont dans (my) trousse.
6. (My) parents n'aiment pas le poisson.
7. J'adore (his) maison.
8. (Her) frère a deux vélos.
9. Tu as perdu (your) bicyclette?
10. Comment s'appelle (his) mère?

## Exercice 9.10

Trouve les six erreurs:

Exemple: Mon copain s'appellent ✗    >    Mon copain s'appelle ✓

Mon copain **s'appellent** Jules. Il habites en ville avec son sœur et leur cousine Charles. Le dimanche, ils vont au campagne en voiture, où ils font un pique-nique au bord de la rivière. A la maison, Jules, Rachel et Charles regardent la télévision de Charles. Son télévision est très petit.

## Exercice 9.11

Traduis la bonne version de l'Exercice 9.10 en anglais. Fais très attention au style de ton anglais.

## Les verbes pronominaux (reflexive verbs)

Here are some examples of reflexive verbs in the present tense, to remind you:

| | |
|---|---|
| Je me couche | I go to bed; I am going to bed |
| Tu te lèves | you (s.) get up; you are getting up |
| Il s'arrête | he stops; he is stopping |
| Elle se dépêche | she hurries; she is hurrying |
| On s'habille | we get dressed; we are getting dressed |
| | |
| Nous nous réveillons | we wake up; we are waking up |
| Vous vous demandez | you (pl.) wonder; you are wondering |
| Ils s'ennuient | they (m.) get bored; they are getting bored |
| Elles se lavent | they (f.) get washed; they are getting washed/they wash themselves |

## Exercice 9.12

Donne l'infinitif de tous les verbes de la liste ci-dessus:

Exemple:
   Je me couche: se coucher

## Exercice 9.13

Copie, avec la bonne forme du verbe au présent:

1.   Nous (se coucher) de bonne heure.
2.   Tu (se dépêcher)!
3.   Vous (se réveiller) tôt le matin.
4.   Marcel (s'ennuyer) facilement.
5.   Je (se demander) s'il sait nager.
6.   On (s'habiller) en noir.
7.   Elles (se lever) quand le prof entre dans le labo.
8.   Elle ne (s'arrêter) pas à la frontière, ce n'est pas nécessaire.
9.   Tu (s'approcher) du village.
10.  Je (se baigner) avant le déjeuner.

## Exercice 9.14

Copie, avec la forme correcte du verbe:

A sept heures, je (se lever). Je (faire) mon lit et je (se laver). Je (nettoyer) la salle de bains et je (ranger) ma chambre. Je (mettre) mes affaires de classe dans mon sac à dos et mes vêtements dans mon armoire. Je (mettre) mes CDs et mes livres dans les tiroirs de mon bureau et je (sortir) de ma chambre. Je (descendre) dans la cuisine où je (préparer) mon petit déjeuner. Il (être) huit heures. Je (partir) à l'école.

## Exercice 9.15

Trouve les intrus:
Exemple:

> banane **voiture** orange citron pêche: **voiture!**

1. salle à manger   cuisine   chambre   fourchette   salon
2. chien   entrée   chat   souris   vache
3. cheval   champ   rue   autoroute   avenue
4. violon   piano   guitare   saxophone   stylo
5. biologie   maths   livre   histoire   géographie

## La négation

You have met several expressions in the negative form in Book 2, but let us look again at the important basic points about saying 'not':

1. The actual word meaning 'not' is pas.
2. Negative expressions start with ne; ne comes before a verb, pas after it:
   ne *verb* pas.
3. Before a vowel, ne becomes n': je **n'**aime **pas**.
4. After **pas**, un, une, du, de la, de l' and des all become **de** or **d'**:
   j'ai des bananes et une pêche; je n'ai pas de légumes.

## Expressions of quantity

De or d' is used after expressions of indefinite quantity:

beaucoup de = many, a lot
tant de = so much, so many
autant de = as much, as many
combien de? = how much? how many?

assez de = enough
un peu de = a little
trop de = too many, too much
peu de = few, little

e.g. J'ai beaucoup de pommes = I have a lot of apples

## Exercice 9.16

Ecris au négatif:

1. Je trouve mes affaires de classe.
2. Tu as une trousse bleue.
3. Nous mangeons au restaurant chinois.
4. Tu as mon pull maman?
5. Il cherche ses livres de bandes dessinées.
6. On a des romans en anglais.
7. Nous avons une maison en Bretagne.
8. Pierre va à La Rochelle.
9. Tochiko habite à Nantes.
10. Charles tond la pelouse.

## Les jours de la semaine et les mois de l'année

Can you recite the days of the week and the months of the year in French? If not, learn them again! They are set out on pages 59 and 69 of Book 1.

## Exercice 9.17

First, recite the days and months *without looking at the book*!

Maintenant, traduis en français. Tu peux écrire les numéros en chiffres!

Exemples: Monday, May 1st   >     lundi premier* mai ou lundi 1er mai
* *Remember: only the first of the month is given as an ordinal number.*

    2nd June    >     le deux juin ou le 2 juin

1. Tuesday 3rd August
2. Wednesday 20th January
3. Thursday 14th July
4. The first of April
5. Saturday 19th March

## Les transports

We first met methods of transport in Book I, and learnt how to say 'by' or 'in' each one.

    en    if you are inside, even if there's no roof!
    à     if you are outside or 'on' the thing:
    en voiture = by car       à vélo = by bike

There are one or two cases where French speakers seem to contradict this guideline:

    en moto = by motorbike     par le train = by train
    en mobylette = by scooter

## Exercice 9.18

Copie le passage, en remplaçant les mots anglais par des mots français qui conviennent:

Je vais aller de Calais à Paris (by train). De là, je vais partir (by TGV) jusqu'à Lyon, où je vais parcourir la ville (by taxi) et (on foot). Puis je vais explorer les vieux quartiers (by bicycle). Je vais descendre dans un petit hôtel pas cher. Le lendemain, je vais continuer à découvrir ce pays (by coach) avant de retourner en Angleterre (by air).

Maintenant, trouve le français pour:

1. To go.
2. From there.
3. To set off.
4. To cross the town.
5. The old parts.

6. To stop off at an inexpensive hotel.
7. My journey of discovery.
8. Before going back.

## Les vêtements, les couleurs, les adjectifs

Qu'est-ce que tu vas mettre?

This will help you revise clothing, colours, and remembering to make adjectives agree with the noun they describe. Say what you are going to put on, including its colour, for each activity. Make five of your own sentences.

Exemple:

Pour aller au collège je vais mettre une chemise bleue et un jean noir.

1. Pour aller au collège …
2. Pour aller au resto avec Martine …
3. Pour aller voir ma grand-mère …
4. Pour me coucher ce soir …
5. Pour regarder le match de foot …

## Les verbes un peu différents

Remember that 'acheter' and some other verbs ending in '-e-consonant-er' add an accent grave (`) on the 'e' before the consonant, *when the ending is **not** pronounced.*

## Exercice 9.19

Ecris ces phrases avec la forme correcte du verbe:

1. Nous (acheter) des souvenirs.
2. Tu (acheter) du parfum pour maman.
3. Elle (se promener) dans les bois.
4. Je (se lever) à sept heures.
5. Ils (acheter) des CDs.

N.B.: jeter = to throw and appeler = to call double the final consonant ('t' and 'l').

Ecris ces phrases avec la forme correcte du verbe:

6. Nous (jeter) les papiers dans la poubelle.
7. Il (s'appeler) Peter, n'est-ce pas?
8. Tu (jeter) les feuilles, et tu gardes les carottes.
9. Si tu arrives lundi, tu m' (appeler).
10. J' (appeler) Nicolas tous les jours.

## Les questions

There are three ways of asking a question in French:

(i)     The simplest is to use the tone of your voice:

Tu es malade? = Are you ill?

The other two are mainly for written French:

(ii)    Put Est-ce* que before a statement:

Est-ce* que tu es malade? = Are you ill?

(iii)   Reverse the order of the verb and pronoun:

Es-tu* malade? = Are you ill?

* Do not forget the hyphen!

## Exercice 9.20

Ecris ces phrases comme questions:

1.    Elle est à la maison.
2.    Vous aimez Brahms.
3.    Vous voulez aller à Paris.
4.    On mange des escargots en Grande-Bretagne.
5.    Ils aiment les crêpes.
6.    Tu veux apprendre à parler français.
7.    Elle peut venir avec nous.
8.    Nathalie achète des souvenirs.
9.    On peut voir les animaux à la ferme.
10.   Tu as froid.

## Exercice 9.21

Les expressions avec avoir
As you know, several expressions in French use avoir = 'to have' when the verb 'to be' is used in English.

Mots cachés
Use some squared paper. Make a small wordsearch (10 squares by 10). In the wordsearch, include every part of the verb avoir (ai, as, etc.) and peur, faim, soif, froid, chaud, raison, tort, mal.

Give the wordsearch to your partner to do.

Maintenant, traduis en français:

1.    You're right.
2.    I'm cold and I'm hungry.
3.    But I am not afraid.
4.    What about you?
5.    Are you afraid?
6.    Are you thirsty?

## Le futur immédiat

## Exercice 9.22

Il faut penser à l'avenir!

Yes, you have to think about the future. In French, remember, we can express the future easily using the present tense of aller, with any infinitive:

> Je vais écrire. = I am going to write.

Ecris en français:

1. She is going to travel.
2. We are going to read some novels.
3. They (m.) are going to arrive at 3.00 pm.
4. It is going to cost* 4.00 €.
5. Why are you (pl.) going to go by car?
6. When is he going to come home?
7. They (f.) are not going to get up early.
8. We are going to watch a film on television.
9. I am going to leave at 8.00 pm.
10. But the film is going to begin at 7.55 pm!

* to cost = coûter

## Vive la France!

La Principauté de Monaco est située sur la Côte d' Azur. C'est un Etat quasi-indépendant entouré du département des Alpes-Maritimes. Ses 30.000 habitants, qui s'appellent les Monégasques, vivent sur le 1,95 km* de cette monarchie constitutionnelle, qui mesure 3 km de longueur sur 300 m de largeur. Le territoire est dominé par le Mont Agel (1.100 m). Le Prince Rainier, chef de la famille royale Grimaldi, est mort en 2005 et son fils le Prince Albert est devenu Chef d'Etat à sa place. Des millions de Français et d'Européens s'intéressent à la vie intime de la famille Grimaldi. On voit des articles sur cette famille dans des illustrés français et étrangers presque toutes les semaines. L'Etat doit sa fortune au tourisme et à son casino, mais tout le monde adore s'informer sur Caroline, Stéphanie, et les joies et tristesses de cette monarchie située au sein d'une république.

Monaco: le Casino (Monaco Tourist Office)

(a) Qu'as-tu compris?
Ecris quelques lignes en anglais sur la Principauté de Monaco.

(b) Imagine que tu es invité(e) à passer trois jours au Palais Royal de Monaco!
Ecris une lettre en français à ton prof de français pour lui raconter ton séjour.

(c) Dessine un plan de ton palais ou château idéal. Ecris tous les noms des pièces en français, bien sûr.

| | | | |
|---|---|---|---|
| entouré de | surrounded by | la largeur | width |
| un illustré | glossy magazine | la longueur | length |
| le chef d'état | head of state | intime | private |
| au sein de | within | quasi- | almost |

## Bravo!

Tu as fini le neuvième chapitre!

And now, in Chapter 10, we will go on to practise all you have learned in Book 2.

# Chapitre 10

## Révision du Deuxième Livre

In this chapter, you will be able to revise all the French grammar you learnt in Book 2 and learn some new vocabulary too.

## Exercice 10.1

Ecoute, lis le passage et fais l'exercice:

Les souvenirs d'enfance

Au printemps, quand il faisait beau, j'aimais sortir très tôt le matin pour me promener pieds nus dans le verger de l'autre côté de la route. C'était merveilleux d'être réveillée par les premiers rayons du soleil, et de sentir en même temps la rosée de l'aube encore glaciale dans l'herbe sous les poiriers et pommiers. Au bout d'une demi-heure, je rentrais doucement par la porte de la cuisine. Je retrouvais ma chambre, qui était au rez-de-chaussée, et me réfugiais dans mon lit toujours chaud. Dix minutes plus tard, j'entendais mon père qui descendait faire du café pour maman qui somnolait dans son lit.

| | |
|---|---|
| pieds nus | with bare feet |
| le verger | the orchard |
| de l'autre côté de | on the other side of |
| le rayon | the ray |
| la rosée | the dew |
| l'aube | the dawn |
| le poirier | the pear tree |
| le pommier | the apple tree |
| somnoler | to doze |

Réponds aux questions en anglais:

1.  What time of year was it?
2.  Where was the orchard?
3.  How do we *know* the writer is a girl?
4.  Which way had she gone out of the house?
5.  Where was her bedroom?

## Exercice 10.2

Trouve le français pour:

1.  When the weather was fine.
2.  Very early in the morning.
3.  The first rays of the sun.
4.  After half an hour.
5.  I heard my father going downstairs.

## Exercice 10.3

Ecris en français, en utilisant les réponses à l'Exercice 10.2:

1. When it was cold.
2. Very late in the afternoon.
3. The last rays of sun.
4. After an hour and a half.
5. She saw her mother going upstairs.

## Exercice 10.4

Lis le passage de Exercise 10.1 encore une fois.

1. Liste tous les verbes du passage qui sont à l'imparfait. Il y en a dix.
2. Pourquoi est-ce que ces verbes sont à l'imparfait?

## Exercice 10.5

Traduis en français:

(au présent)
1. I take the bus at 10.00 a.m.
2. She drinks Orangina when the weather is hot.
3. We are leaving at noon.
4. They (f.) sleep in the afternoon.
5. He goes out every[1] evening.

[1] every = tous les

(au passé composé)
6. The sales assistant[2] served the customer.
7. Martine drank the coffee.
8. You did not take the tram on Saturday.
9. Did they (m.) sleep well?
10. She left at 10.00 p.m. yesterday.

[2] the sales assistant = le vendeur

(à l'imparfait)
11. On Tuesdays I had breakfast at 8.00 a.m.
12. Every morning, she went out.
13. They (m.) were drinking.
14. You (pl.) were sleeping.
15. The waitress[3] was serving the lunch.

[3] the waitress = la serveuse

## Exercice 10.6
## Dictée

CD1:
39

Ecoute le CD et écris le passage.

## Exercice 10.7

Imagine que tu es Patrick. Réponds à cet e-mail que tu as reçu:

> Bonjour Patrick!
>
> Ce matin j'ai reçu une carte postale de mes parents, qui sont en vacances au bord de la mer. Hier soir ils ont dîné au restaurant Chez Jules à Saint-Gilles. Tu connais Saint-Gilles? C'est vraiment sympa! Ma mère a eu un plateau de fruits de mer, et mon père a essayé la raie au beurre. Il paraît que c'était formidable. J'ai lu le menu, la dernière fois qu'ils y sont allés. Tu aimes le poisson? Qu'est-ce que tu as mangé la dernière fois que tu es allé au resto? Merci pour le fichier que tu m'as envoyé au sujet de la géo. C'est impeccable.
>
> Salut!
> Christophe

| | |
|---|---|
| un plateau de fruits de mer | a seafood platter |
| la raie | the ray; skate (flat fish) |
| y (adv., placed before verb) | there; to it (for a place) |
| le resto | the restaurant (abbr.) |
| le fichier | the folder (computing) |
| impeccable | excellent |

## Exercice 10.8

Finding the appropriate expressions in the e-mail, practise adapting them by translating these phrases:

1. He received.
2. We received.
3. My brother, who is in Paris.
4. My sister, who was in England.
5. Her uncle, who was on holiday.
6. We had dinner.
7. They (m.) know London.
8. You (s.) don't know Nantes.
9. I tried the roast chicken.
10. The first time you (s.) went to France.

## Exercice 10.9

Ecris ces phrases au négatif:

1. J'habite au bord de la mer.
2. Nous aimons les fruits de mer.
3. Tu as trouvé ton sac?
4. J'ai été malade.
5. Il avait mal au bras.
6. Elle est allée chez le médecin.
7. Nous sommes allés à la pharmacie.
8. On a une ordonnance.
9. J'ai acheté un médicament.
10. Tu as suivi les instructions.

## Exercice 10.10

Ecris ces phrases à l'interrogatif:

1. Il sait à quelle heure on part.
2. Tu as mal à la gorge.
3. Elle a mal au dos.
4. Vous connaissez la rue Picpus.
5. Elle a vu l'accident.
6. La dame est tombée par terre.
7. Tu connaissais la victime.
8. Il savait que j'étais malade.
9. Tu vas aller à l'hôpital.
10. On arrive, Papa.

## Exercice 10.11

Ecris ce passage au passé composé:

Be careful to put any object pronouns <u>before</u> the auxiliary (avoir or être) in the **passé composé**.

On sonne à la porte. Je descends. J'ouvre la porte et je vois le facteur. Il me donne un paquet. J'entre dans la cuisine et j'ouvre le paquet. Je découvre un agenda pour l'année prochaine - un cadeau que ma tante m'offre. Je décide d'écrire des notes tous les jours.

Voici les premiers mots que j'écris: Aujourd'hui je me lève à 7 h 10, quand le courrier arrive.

## Exercice 10.12

Copie ces phrases, en remplaçant les mots entre parenthèses par le pronom (le, la, l', les) qui convient:

1. Je trouve (les poires Williams) délicieuses.
2. Tu écoutes (les CDs) ce soir?
3. On regarde (le frère de Martine).
4. Vous avez (mon stylo)?
5. Non, je n'ai pas (ton stylo).
6. Tu vois (le cinéma)?
7. Je prépare (le déjeuner).
8. Nous regardons (les films policiers).
9. Elle oublie (le cadeau de Jean-Marc).
10. Il déteste (le nouveau rond-point).

## Exercice 10.13

Copie ces phrases avec la forme correcte du verbe au présent:

1. Je (nettoyer).
2. On (essuyer).
3. Tu (essayer).
4. Vous (acheter).
5. Elle (se lever).
6. Nous (manger).
7. Tu (se promener).
8. On (jeter).
9. Ils (s'appeler).
10. Je (acheter).

## Exercice 10.14

Ecris les réponses à l'Exercice 10.13 au passé composé (1 à 5) et au futur immédiat (6 à 10).

## Exercice 10.15

Trouve les erreurs:

Je m'appelle Carlo. Je suis un garçon italienne. La semaine dernier, j'ai allé au médecin parce que j'étais mal à la ventre. En plus, j'avais fatigué et j'étais mal au tête.

# Exercice 10.16

Passe le CD pour écouter le dialogue:

(au téléphone)

*Mamie.* Allô?

*Albertine.* Florence? C'est toi?

*Mamie.* Oui, c'est moi. Qui est à l'appareil?

*Albertine.* Florence! Tu ne reconnais pas ma voix? C'est Albertine!

*Mamie.* Albertine! C'est vraiment toi? Ce n'est pas une blague? Où es-tu?

*Albertine.* Mais bien sûr que c'est moi! Comment vas-tu?

*Mamie.* Ça va. Mais où es-tu? Tu es rentrée en Belgique?

*Albertine.* Mais non! J'habite au Canada! Un ami de Belgique a trouvé mon numéro de téléphone, et … voilà!

*Mamie.* Au Canada? Oh là là! Que c'est loin!

*Albertine.* Dis, mon ami m'a dit qu'on a trouvé une boîte en argent avec «J-P. L.» dessus. C'est vrai?

*Mamie.* Oui, c'est vrai. Une jolie petite boîte. Mais qui est J-P. L.?

*Albertine.* C'est mon frère. Ecoute, ce n'est pas un problème. Je vais venir vous voir en France à Noël! Qui a trouvé la boîte?

*Mamie.* C'est Monsieur Simonneau, le voisin de ma fille.

*Albertine.* Florence, tu peux me donner le nom d'un bon hôtel?

*Mamie.* Mais tu vas rester chez moi, idiote!

| | |
|---|---|
| qui est à l'appareil? | who is speaking? |
| reconnaître (irreg., like connaître) | to recognise |
| une blague | a joke |

Réponds aux questions en anglais:

1. Who is Florence?
2. What is her first reaction on hearing Albertine's voice?
3. How did Albertine hear about the silver box being found?
4. Who is 'J-P. L'?
5. When is Albertine coming to France?
6. Where will she stay?

Trouve le français pour:

1. Of course it's me!
2. Where are you?
3. What a long way away it is!
4. My friend told me.
5. I am going to come and see you.

## Exercice 10.17
## La négation

Traduis en anglais:

«Qu'est-ce que tu lis?
- Je ne lis pas.
- Qu'est-ce que tu regardes?
- Je ne regarde rien.
- Tu ne regardes rien?
- Je ne lis rien, je ne regarde rien.
- Tu ne lis jamais?
- Jamais. Je ne lis jamais rien.
- Mais tu lisais.
- Quand j'étais petit. Mais maintenant je ne lis plus.
- Donc, tu lisais, mais maintenant tu ne lis jamais plus rien. C'est ça?
- C'est ça.»

## Exercice 10.18

Copie et complète, avec la bonne forme du présent du verbe entre parenthèses:

1. Tu (venir) cet après-midi, si tu veux.
2. Je ne (pouvoir) pas.
3. Elle ne (savoir) pas danser.
4. Le cambrioleur (tenir) un revolver à la main.
5. Nous (venir) en voiture.

| | |
|---|---|
| un cambrioleur | a burglar |

## Exercice 10.19
## L'impératif

Read these examples to remind you of imperative forms:

Rappel:

| | |
|---|---|
| Tu manges. | Mange! |
| Vous allez. | Allez! |
| Nous rentrons. | Rentrons! |
| Vous me regardez. | Regardez-moi! |
| Tu la lis. | Lis-la! |
| Tu te lèves. | Lève-toi! |
| Tu ne te déranges pas. | Ne te dérange pas! |

Ecris ces phrases à l'impératif:

1. Vous écoutez le professeur.
2. Nous partons tout de suite.
3. Vous me suivez.
4. Tu les prends.
5. Tu viens chez moi.
6. Vous sortez d'ici.          * *Attention!*
7. Vous n'avez pas peur*.
8. Nous nous dépêchons.
9. Vous ne vous disputez pas.
10. Tu es sage*.

## To him, to her, to them, there (to or in a place)

Just to remind you, these words go before the verb, just like direct object pronouns.

Exemples:

| Il va à Paris. | > | Il **y** va. |
| Tu écris à Jean. | > | Tu **lui** écris. |

## Exercice 10.20

Copie ces phrases, en remplaçant les mots entre parenthèses par le pronom (lui, leur, y) qui convient:

1. Je rends le devoir (au professeur).
2. Nous envoyons une carte postale (à Thérèse).
3. Mes parents sont en vacances (à Saint-Gilles).
4. Tu passes le pain (à tes sœurs).
5. On demande (à Philippe).
6. Il donne les livres (aux enfants).
7. Vous rentrez (à la maison).
8. Ils envoient un message (aux copains).
9. Nous habitons (au village) depuis longtemps.
10. Paul se trouve (dans la salle de classe).

## Exercice 10.21
## Telling and asking people to do things

The indirect object pronouns me, te, lui, nous, vous and leur are also useful for asking people to do things.

Exemple: Je **lui** demande de venir. = I ask him/her to come.

Traduis en français:

1. I ask her to write.
2. He tells me to listen.
3. She asks you to stay.
4. They (m.) tell us to look.
5. We ask them to listen.
6. You (pl.) tell me to come on Tuesday.
7. They (f.) ask her to leave.
8. We tell you (s.) to watch.
9. I ask him to wait.
10. He tells you (pl.) to begin.

## Exercice 10.22
## La comparaison

Traduis en anglais:

Elle s'appelle Stéphanie. Elle a deux frères - José et Arthur. José a treize ans et Arthur est plus âgé que José de deux ans. Stéphanie est moins âgée qu'Arthur mais plus vieille que José. Stéphanie a aussi une sœur qui s'appelle Isabelle. Isabelle est aussi âgée que Stéphanie: elles sont jumelles.

Now write in French a similar paragraph about the people detailed below:

Jean, qui a 12 ans et qui mesure 1m 72, a:

1 frère, Simon, 9 ans, 1m 39 ; et
1 sœur Charlotte, 15 ans, 1m 75.

les jumeaux (m.)
les jumelles (f.) } twins

## Exercice 10.23
## On s'amuse

Fais deux dessins, pour illustrer les premier et deuxième paragraphes de l'Exercice 10.22.

## Exercice 10.24

Tu es en vacances avec ta famille, dans le sud de la France. Ecris une lettre à un(e) ami(e) francophone.

Hint: In the letter, which you should plan carefully, try to include the constructions listed below, and take note of the information given above, under the title.

Describe the place and say what there is (e.g. a swimming pool). Say:

– **when** you arrived, and **by which method of transport**;
– what t**he weather and the surroundings** are like;
– what you **have just done** (been swimming, been to the shops, etc.);
– what one or two members of your family **are (in the process of) doing**;
– what you **did** yesterday;
– what you **are going to do** tomorrow.

Remember, it's a letter, so begin and end it appropriately.

## Exercice 10.25

Invente un jeu de société! Le jeu doit aider tes amis à réviser leur français.
*Invent a board game! The game must help your friends to revise their French.*

Hint: Make it simple to understand. Use no English on it. Make sure there are rewards (even if only imaginary!) for success.

# Vive la France!

Tu t'intéresses au foot? Beaucoup de personnes connaissent au moins le nom d'une équipe française de football : Paris-Saint-Germain, Saint-Etienne, Nantes... Et bien plus ont entendu parler de Thierry Henry, de Zinedine Zidane et d'autres footballeurs français. Mais quelle est l'histoire de ce sport en France? Voici quelques dates-clés. 1872 a vu la création du premier club français, qui s'appelle Le Havre Athletic Club. Le premier match de foot d'une équipe nationale française a eu lieu à Bruxelles en 1904 contre la Belgique, mais le résultat a été un peu décevant: match nul (3-3). La Fédération Française du Football a été fondée en 1919 et en 1921 Jules Rimet est devenu le Président de la F.I.F.A.

Le premier championnat professionnel s'est déroulé de 1932 à 1933. L'équipe victorieuse était l'Olympique Lillois. En 1938 la France a eu l'honneur d'organiser la troisième Coupe du Monde, et en 1960 elle a accueilli le premier Championnat d'Europe des Nations.

Le 27 juin 1984, la France a remporté le Championnat d'Europe des Nations et le 12 juillet 1998, pour la première fois de son histoire, la France a remporté la Coupe du Monde. Le 2 juillet 2000 la France a gagné le Championnat d'Europe.

(a)  Qu'as-tu compris? Ecris quelques lignes en anglais sur l'histoire du football en France.

(b)  Ecris les noms des footballeurs français que tu connais. Quelle est ton équipe française idéale?

(c)  Tu es designeur ou designeuse de la tenue de l'équipe nationale de France! Fais ton dessin sur papier libre.

| | |
|---|---|
| entendre parler de | to hear of |
| le résultat | result |
| fonder | to found |
| se dérouler | to take place |
| la tenue | strip, kit, clothing |
| remporter | to win (literally, to take away) |
| décevant | disappointing |
| le championnat | championship |
| accueillir (irreg.) | to host |

## Et finalement

J'espère que tu commences maintenant à trouver que le français n'est pas trop difficile! Le troisième livre t'attend!

Bon courage et à bientôt!

# Summary of Grammar

## Expressions of weather and time

### Weather

Many weather expressions use the verb faire:

> Il fait beau. = It's fine.
>
> Il faisait chaud. = It was hot.

There are other weather verbs:

| infinitif | présent | imparfait |
|-----------|---------|-----------|
| neiger: | il neige | il neigeait |
| pleuvoir: | il pleut | il pleuvait |
| geler | il gèle | il gelait |

Questions about the weather:

> Quel temps fait-il? = What is the weather like?
>
> Quel temps faisait-il? = What was the weather like?

### Time

For telling the time we use être:

> Quelle heure est-il? = What's the time?/What time is it?
>
> Il est trois heures. = It's three o' clock.
>
> Il est quinze heures. = It's three in the afternoon.

## How to say 'to' or 'in' with towns and countries

### Towns

For all towns or villages, of any size, use à:

> à Paris = to Paris; in Paris

### Countries

For countries with feminine names (most), use en:

> en France = to France; in France

For countries with masculine names, use au:

> au Canada = to Canada; in Canada
> au Maroc = to Morocco; in Morocco
> au Japon = to Japan; in Japan
> au Portugal = to Portugal; in Portugal
> au Sénégal = to Senegal; in Senegal

Countries with plural names take aux:

> aux Etats-Unis = to the USA; in the USA

## This, that, these and those

All the singular words mean this or that. The plural means these or those:

|              | singular | plural |
|--------------|----------|--------|
| m.           | ce       | ces    |
| m. before a vowel | cet  | ces    |
| f.           | cette    | ces    |

To differentiate:

Put -ci **after the noun** to mean 'this' and 'these':

> **Ce** garçon-**ci**. = **This** boy.

Put -là after the noun to mean 'that' and 'those':

> **Ce** garçon-**là**. = **That** boy.

## Idioms with avoir

avoir is used in many French expressions where English uses the verb 'to be':

> avoir faim = to be hungry
> avoir soif = to be thirsty
> avoir chaud = to be hot
> avoir froid = to be cold
> avoir sommeil = to be sleepy

> avoir peur = to be afraid
> avoir raison = to be right
> avoir tort = to be wrong
> avoir honte = to be ashamed

## Other idioms with avoir

> avoir l'air = to seem; to appear to be
> avoir envie de = to want very much

> avoir lieu = to take place
> avoir besoin de = to need

## Negative expressions

Most of these follow the same pattern as ne … pas, with the verb in between:

> ne … pas = not
> ne … plus = no longer; no more; not any more
> ne … jamais = never; not ever
> ne … rien = nothing; not anything
> ne … personne = no-one; not anyone

One further expression is not really negative, but begins with ne:

> ne … que = only

## Pronouns

| subject (I, etc.) | direct object (me, etc.) | indirect object (to me, etc.) | reflexive (myself, etc.) |
|---|---|---|---|
| je | me | me | me |
| tu | te | te | te |
| il | le | lui | se |
| elle | la | lui | se |
| on | | | se |
| | | | |
| nous | nous | nous | nous |
| vous | vous | vous | vous |
| ils | les | leur | se |
| elles | les | leur | se |

### y and en

y is not strictly a pronoun, but is used to replace phrases of place beginning with à, au, aux or a preposition. It is placed where a pronoun would be placed in a sentence:

> Je vais **à Paris**. = I am going **to Paris**.
> J'**y** vais. = I am going **there**.

en as a pronoun means 'of it', 'of them', 'some', or 'any', and replaces phrases beginning with de, du, de la, de l' or des:

> Tu as des bonbons? = Do you have any sweets?
> Tu en as? = Do you have any?

## The imperative

To make the 'command' form of a verb, take either the second person singular or second person plural of the verb, removing tu or vous:

Tu descends. = You go down.    >    Descends! = Go down!

Vous descendez.    >    Descendez!

On -er verbs, remove the -s from the second person singular ending:

Tu parles. = You are speaking.    >    Parle! = Speak!

## The imperative of reflexive verbs

Do the same as for a normal verb (see above) but add -toi or -vous as appropriate:

Tu te lèves. = You get up.    >    Lève-toi! = Get up!

Vous vous levez.    >    Levez-vous!

## Comparison

All comparisons in French are expressed with the words plus (more), moins (less), or aussi (as). The word 'than' is que in every case, even with aussi:

Il est plus grand que moi. = He is taller ('more tall') than me.

Il est moins grand que moi. = He is less tall than me.

Il est aussi grand que moi. = He is as tall as me.

Note these irregular comparatives:

bon = good    >    meilleur = better

bien = well    >    mieux = better

## Constructions
## en with the present participle

en with the present participle can mean 'while ...ing'; 'by ...ing'; 'on ...ing':

Je suis tombé *en* grimpant à un arbre. = I fell while climbing a tree.

The present participle has the same stem as the imparfait with only a few exceptions:

| | | |
|---|---|---|
| être | étant = being |
| avoir | ayant = having |
| savoir | sachant = knowing |

## venir de + the infinitive

This construction means 'to have just …'
Use the present tense of the verb venir, and any infinitve:

> Je viens de manger. = I have just eaten.

## être en train de + the infinitive

This construction means 'to be (in the process of) …ing'
Use any tense of être, then add en train de, and any infinitve:

> Elle est en train de téléphoner. = She is (in the process of) telephoning.
>
> Vous étiez en train de parler. = You were (in the process of) speaking.

## être sur le point de + the infinitive

This construction means 'to be about to …'
Again, use any tense of être, then add sur le point de, and any infinitive:

> J'étais sur le point de partir. = I was about to leave.

# Verb tables

## The meanings of each tense

Présent

> Elle chante. = She sings; She is singing.

Passé composé

> Elle a chanté. = She sang; She has sung.

Imparfait

> Elle chantait. = She was singing; She used to sing.

Futur immédiat

> Elle va chanter. = She is going to sing.

## Formation of the tenses

The present tense of regular verbs is thoroughly explained in Book 1. The present tense of each irregular verb must be learnt from the verb tables after this section.

## Passé composé

The **passé composé** is made from the auxiliary **avoir** or **être**, in the present tense, and a past participle:

> J'ai fini. = I have finished.
> Je suis parti. = I have left.

If the verb takes **être** in the **passé composé**, the past participle must agree in gender (masculine or feminine) and number (singular or plural) with the subject:

> Sophie et Caroline sont sorties. = Sophie and Caroline have gone out.
> **sorti** + **e** (f.) and + **s** (pl.)

## Les verbes pronominaux

ALL reflexive verbs take être in the passé composé. Note the word order:

| | |
|---|---|
| je me suis levé(e) | nous nous sommes levé(e)s |
| tu t'es levé(e) | vous vous êtes levé(e)(s) |
| il s'est levé | ils se sont levés |
| elle s'est levée | elles se sont levées |

## Imparfait

The imparfait is made from the nous part of the present tense, without the ending –ons.

nous prenons     >     pren-

The following endings are then added to this stem:

| | | | |
|---|---|---|---|
| je | -ais | > | je prenais |
| tu | -ais | > | tu prenais |
| il | -ait | > | il prenait |
| elle | -ait | > | elle prenait |
| | | | |
| nous | -ions | > | nous prenions |
| vous | -iez | > | vous preniez |
| ils | -aient | > | ils prenaient |
| elles | -aient | > | elles prenaient |

The only verb which has an irregular stem is être, whose stem is ét-:

j'étais     >     c'était

## Futur immédiat

The futur immédiat is made by adding the present tense of aller to an infinitive:

On va arriver. = We are going to arrive.
Tu vas partir. = You are going to leave.
Elles vont regarder. = They are going to watch.

# Irregular verb tables

Verbs with an asterisk (*) take être in the passé composé.

|  | Present Tense |  | Past Participle |
|---|---|---|---|
| **accueillir**: to welcome |  |  |  |
|  | j'accueille | nous accueillons | accueilli |
|  | tu accueilles | vous accueillez |  |
|  | il accueille | ils accueillent |  |
|  | elle accueille | elles accueillent |  |
| **aller***: to go |  |  |  |
|  | je vais | nous allons | allé |
|  | tu vas | vous allez |  |
|  | il va | ils vont |  |
|  | elle va | elles vont |  |
| **appeler**: to call |  |  |  |
|  | j'appelle | nous appelons | appelé |
|  | tu appelles | vous appelez |  |
|  | il appelle | ils appellent |  |
|  | elle appelle | elles appellent |  |
| **apprendre**: to learn |  |  |  |
|  | j'apprends | nous apprenons | appris |
|  | tu apprends | vous apprenez |  |
|  | il apprend | ils apprennent |  |
|  | elle apprend | elles apprennent |  |
| **avoir**: to have |  |  |  |
|  | j'ai | nous avons | eu |
|  | tu as | vous avez |  |
|  | il a | ils ont |  |
|  | elle a | elles ont |  |
| **battre**: to beat |  |  |  |
|  | je bats | nous battons | battu |
|  | tu bats | vous battez |  |
|  | il bat | ils battent |  |
|  | elle bat | elles battent |  |

|  | Present Tense | | Past Participle |
|---|---|---|---|

**boire**: to drink

| je bois | nous buvons | bu |
|---|---|---|
| tu bois | vous buvez | |
| il boit | ils boivent | |
| elle boit | elles boivent | |

**courir**: to run

| je cours | nous courons | couru |
|---|---|---|
| tu cours | vous courez | |
| il court | ils courent | |
| elle court | elles courent | |

**connaître**: to know (a person or place)

| je connais | nous connaissons | connu |
|---|---|---|
| tu connais | vous connaissez | |
| il connaît | ils connaissent | |
| elle connaît | elles connaissent | |

**croire**: to believe

| je crois | nous croyons | cru |
|---|---|---|
| tu crois | vous croyez | |
| il croit | ils croient | |
| elle croit | elles croient | |

**devoir**: to have to (must); to owe

| je dois | nous devons | dû |
|---|---|---|
| tu dois | vous devez | |
| il doit | ils doivent | |
| elle doit | elles doivent | |

**dire**: to say

| je dis | nous disons | dit |
|---|---|---|
| tu dis | vous dites | |
| il dit | ils disent | |
| elle dit | elles disent | |

**écrire**: to write

| j'écris | nous écrivons | écrit |
|---|---|---|
| tu écris | vous écrivez | |
| il écrit | ils écrivent | |
| elle écrit | elles écrivent | |

|  | Present Tense | | Past Participle |
|---|---|---|---|
| **essayer**: to try | | | |
| | j'essaie | nous essayons | essayé |
| | tu essaies | vous essayez | |
| | il essaie | ils essaient | |
| | elle essaie | elles essaient | |
| **être**: to be | | | |
| | je suis | nous sommes | été |
| | tu es | vous êtes | |
| | il est | ils sont | |
| | elle est | elles sont | |
| **faire**: to do; to make | | | |
| | je fais | nous faisons | fait |
| | tu fais | vous faites | |
| | il fait | ils font | |
| | elle fait | elles font | |

**falloir**: to be necessary (impersonal, only used with il)        fallu
il faut
imparfait: il fallait
passé composé: il a fallu

|  |  | | |
|---|---|---|---|
| **jeter**: to throw | | | |
| | je jette | nous jetons | jeté |
| | tu jettes | vous jetez | |
| | il jette | ils jettent | |
| | elle jette | elles jettent | |
| **lire**: to read | | | |
| | je lis | nous lisons | lu |
| | tu lis | vous lisez | |
| | il lit | ils lisent | |
| | elle lit | elles lisent | |
| **mettre**: to put; to put on | | | |
| | je mets | nous mettons | mis |
| | tu mets | vous mettez | |
| | il met | ils mettent | |
| | elle met | elles mettent | |

|  | Present Tense | | Past Participle |
|---|---|---|---|
| **mourir***: to die | | | |
| | je meurs | nous mourons | mort |
| | tu meurs | vous mourez | |
| | il meurt | ils meurent | |
| | elle meurt | elles meurent | |
| **naître***: to be born | | | |
| | je nais | nous naissons | né |
| | tu nais | vous naissez | |
| | il naît | ils naissent | |
| | elle naît | elles naissent | |
| **ouvrir**: to open | | | |
| | j'ouvre | nous ouvrons | ouvert |
| | tu ouvres | vous ouvrez | |
| | il ouvre | ils ouvrent | |
| | elle ouvre | elles ouvrent | |
| **partir***: to depart | | | |
| | je pars | nous partons | parti |
| | tu pars | vous partez | |
| | il part | ils partent | |
| | elle part | elles partent | |
| **prendre**: to take | | | |
| | je prends | nous prenons | pris |
| | tu prends | vous prenez | |
| | il prend | ils prennent | |
| | elle prend | elles prennent | |
| **pouvoir**: to be able (to) (can) | | | |
| | je peux | nous pouvons | pu |
| | tu peux | vous pouvez | |
| | il peut | ils peuvent | |
| | elle peut | elles peuvent | |
| **recevoir**: to receive | | | |
| | je reçois | nous recevons | reçu |
| | tu reçois | vous recevez | |
| | il reçoit | ils reçoivent | |
| | elle reçoit | elles reçoivent | |

| | Present Tense | | Past Participle |
|---|---|---|---|
| **rire**: to laugh | | | |
| | je ris | nous rions | ri |
| | tu ris | vous riez | |
| | il rit | ils rient | |
| | elle rit | elles rient | |
| **s'asseoir***: to sit down | | | |
| | je m'assieds | nous nous asseyons | assis |
| | tu t'assieds | vous vous asseyez | |
| | il s'assied | ils s'asseyent | |
| | elle s'assied | elles s'asseyent | |
| **savoir**: to know | | | |
| | je sais | nous savons | su |
| | tu sais | vous savez | |
| | il sait | ils savent | |
| | elle sait | elles savent | |
| **sourire**: to smile | | | |
| | je souris | nous sourions | souri |
| | tu souris | vous souriez | |
| | il sourit | ils sourient | |
| | elle sourit | elles sourient | |
| **suivre**: to follow | | | |
| | je suis | nous suivons | suivi |
| | tu suis | vous suivez | |
| | il suit | ils suivent | |
| | elle suit | elles suivent | |
| **tenir**: to hold | | | |
| | je tiens | nous tenons | tenu |
| | tu tiens | vous tenez | |
| | il tient | ils tiennent | |
| | elle tient | elles tiennent | |
| **venir***: to come | | | |
| | je viens | nous venons | venu |
| | tu viens | vous venez | |
| | il vient | ils viennent | |
| | elle vient | elles viennent | |

|  | Present Tense | | Past Participle |
|---|---|---|---|

**vivre**: to live

| je vis | nous vivons | vécu |
|---|---|---|
| tu vis | vous vivez | |
| il vit | ils vivent | |
| elle vit | elles vivent | |

**voir**: to see

| je vois | nous voyons | vu |
|---|---|---|
| tu vois | vous voyez | |
| il voit | ils voient | |
| elle voit | elles voient | |

**vouloir**: to want

| je veux | nous voulons | voulu |
|---|---|---|
| tu veux | vous voulez | |
| il veut | ils veulent | |
| elle veut | elles veulent | |

# Vocabulaire français - anglais

## A

à 3 km = 3 km away
à bientôt! = see you soon!
à côté de = beside, next to
à la mode = fashionable
à pied = on foot
à suivre = to be continued
à toi de … = it's your turn to …
à, *prep.* = to, at
abriter, *v.t.* = to shelter
absent(e), *adj.* = absent
accueillir (irreg.), = to host
acheter, *v.t.* = to buy
actif (*m.*), active (*f.*), *adj.* = active
activité, *n.f.* = activity
adjectif, *n.m.* = adjective
admis = admitted
adolescent(e), *n.m./n.f.* = teenager
adopté(e), *adj.* = adopted
adorer, *v.t.* = to love
aéroport, *n.m.* = airport
affirmatif (*m.*), affirmative (*f.*), *adj.* = positive
affreux, *adj.* = frightful; ghastly
âge, *n.m.* = age
agréable, *adj.* = nice, pleasant
agricole, *adj.* = agricultural
aider, *v.t.* = to help
aïe! = Ouch!
aimable, *adj.* = nice, kind
aimer, *v.t.* = to like
aîné(e), *adj.* = elder, older, eldest, oldest
algérien(ne), *adj.* = Algerian
allé: past participle of aller, *v.i.* (irreg.), to go
Allemagne, *n.f.* = Germany
allemand(e), *adj.* = German
allemand, *n.m.* = German (language)
aller à la pêche = to go fishing
aller, *v.i.* (irreg.) (past participle: allé) = to go
alors, *adv.* = so, then, right then!
amarrer, *v.i. & t.* = to moor (e.g. a boat)
amateur, *n.m.* = enthusiast
ami, *n.m.*, amie, *n.f.* = friend
amicalement, *adv.* = with best wishes (on letter)
amitiés, *n.f.pl.* = best wishes (on letter)

amusant(e), *adj.* = amusing
an, *n.m.* = year
ancien (*m.*), ancienne (*f.*), *adj.* = old, former
âne, *n.m.* = donkey
anglais(e), *adj.* = English
anglais, *n.m.* = English (language)
Anglais, *n.m.*, Anglaise, *n.f.* = English person
Angleterre, *n.f.* = England
animal (*pl.* animaux), *n.m.* = animal
année, *n.f.* = year
anniversaire, *n.m.* = birthday
appareil photo, *n.m.* = camera
appeler, *v.t.* = to call
apporter, *v.t.* = to bring
apprendre, *v.t.* (irreg.; goes like prendre) (past participle appris) = to learn
appris: past participle of apprendre, *v.i. & t.*, (irreg.), to learn
après, *prep.* = after
après-midi, *n.m.* = afternoon
araignée, *n.f.* = spider
arbre généalogique, *n.m.* = family tree
arbre, *n.m.* = tree
archi- = extremely (+ *adj.*)
argent, *n.m.* = money, silver
arrêt de bus, *n.m.* = bus stop
arrêter, *v.t.* = to stop
arriver à, *v.i.* (+ infin.) = to manage to
arriver, *v.i.* = to arrive, to happen
assez (+ *adj.*), *adv.* = quite …
assez (de), *adv.* = enough
assiette, *n.f.* = plate
assister à, *v.t.* = to be present at
attendre, *v.t.* = to wait for
attraper, *v.t.* = to catch
au fait = in fact
au revoir! = goodbye!
au sein de = within
au, *prep.* = to the, at the
aube, *n.f.* = dawn
au-dessous de, *prep.* = below
au-dessous, *adv.* = below
au-dessus de, *prep.* = above
au-dessus, *adv.* = above

aujourd'hui = today
aussi = also, too
autoroute, *n.f.* = motorway
autre, *adj.* = other
aux, *prep.* = to the (*pl.*), at the
avant de (+ infin.) = before ...ing
avant, *prep.* = before
avec, *prep.* = with
avenue, *n.f.* = avenue
avion, *n.m.* = aeroplane
avoir, *v.t.* (irreg.) (past participle eu) = to have
avoir chaud = to be hot
avoir de la chance = to be lucky
avoir du mal à (+ *infinitive*) = to have difficulty in (doing)
avoir faim = to be hungry
avoir l'air = to seem
avoir mal (à) = to have pain in (part of the body)
avoir peur = to be afraid
avoir raison = to be right

## B

bain, *n.m.* = bath
balayer, *v.t.* = to sweep
banane, *n.f.* = banana
bande dessinée, *n.f.* = strip cartoon
basket, *n.m.* = basketball
baskets, *n.m.pl.* = trainers
bâtiment, *n.m.* = building
bavard(e), *adj.* = chatty, talkative
beau (*m.*), belle (*f.*), *adj.* = handsome, beautiful
beaucoup de = a lot of, many, lots of
beau-frère, *n.m.* = brother-in-law
beau-père, *n.m.* = father-in-law, step-father
bébé, *n.m.* = baby
bel (*m.* before a vowel) = handsome, beautiful
Belgique, *n.f.* = Belgium
belle-fille, *n.f.* = daughter-in-law
belle-mère, *n.f.* = mother-in-law, step-mother
belle-sœur, *n.f.* = sister-in-law
ben ... = um ... (hesitating)
bête, *adj.* = silly
bête, *n.f.* = animal
bêtise: dire des bêtises = to say silly things
beurre, *n.m.* = butter
bibliothèque, *n.f.* = library, bookshelf
bicyclette, *n.f.* = bicycle
bien = well, good
bientôt = soon
bière, *n.f.* = beer
bijoutier, *n.m.* = jeweller
billet, *n.m.* = ticket

biologie, *n.f.* = biology
bistrot, *n.m.* = small restaurant
blague, *n.f.* = joke
blanc (*m.*), blanche (*f.*), *adj.* = white
bleu(e), *adj.* = blue
blond(e), *adj.* = blonde, fair
blouson, *n.m.* = short jacket
boire, *v.t.* (irreg.) (past participle eu) = to drink
boîte, *n.f.* = box; night-club; tin (boîte de sardines)
bol, *n.m.* = bowl
bon (*m.*), bonne (*f.*), *adj.* = good, right, correct
bonbon, *n.m.* = sweet
bonjour = hello
bonsoir = good evening
bottes, *n.f.pl.* = boots
bouche, *n.f.* = mouth
boucle d'oreille, *n.f.* = earring
bouclé(e), *adj.* = curly
boulanger, *n.m.* = baker
boulangerie, *n.f.* = baker's shop
boulevard, *n.m.* = long, wide street
boum, *n.f.* = party
boutique, *n.f.* = shop
bracelet, *n.m.* = bracelet
bras, *n.m.* = arm
bravo! = well done!
bref, *adj. & adv.* = short; in short
brioche, *n.f.* = brioche (cake-like sweetened bread)
britannique, *adj.* = British
bronzé(e), *adj.* = tanned
bronzer, *v.i.* = to get tanned
brun(e), *adj.* = brown
bu: past participle of boire, *v.t.*, (irreg.), to drink
bureau de poste, *n.m.* = Post Office
bureau, *n.m.* = office, large desk
but, *n.m.* = goal

## C

c'est = it is
c'est ça? = Is that right?
c'était = it was
ça = that; it (*short for* cela)
ça alors! = good grief! well, I never!
ça fait mal = it hurts
ça ira? = Will that be all right?
ça va = it's OK, I'm fine etc.
ça y est! = that's it!, that's done!
cabinet, *n.m.* = surgery; cabinet
cadeau (*pl.* cadeaux), *n.m.* = present, gift
cadet (*m.*), cadette (*f.*), *adj.* = younger, youngest
cadre, *n.m.* = frame(work); setting
café, *n.m.* = coffee, café (bar)

cafetière, *n.f.* = coffee pot
cahier, *n.m.* = exercise book
calculatrice, *n.f.* = calculator
campagne, *n.f.* = countryside
camping, *n.m.* = camp site
canadien (*m.*), canadienne (*f.*), *adj.* = Canadian
cantine, *n.f.* = (school) dining room
car = for
carrefour, *n.m.* = crossroads
cartable, *n.m.* = school bag
carte, *n.f.* = card, menu, map
casquette, *n.f.* = cap
casser, *v.t.* = to break
CD, *n.m.* = CD
ce (*m.*), cet (*m.* + vowel), cette (*f.*) = this, that
ceinture, *n.f.* = belt
céleri, *n.m.* = celery
celui-ci, *pron. m.* = this one; the latter
celui-là, *pron. m.* = that one
cent, *adj./n.m.* = hundred
centime, *n.m.* = cent
centre sportif, *n.m.* = sports centre
centre-ville, *n.m.* = town centre
céréales, *n.f.pl.* = breakfast cereal
ces = these, those (+ noun)
chacun(e) = each one
chaise, *n.f.* = chair
chambre, *n.f.* = bedroom
champ, *n.m.* = field
championnat, *n.m.* = championship
chanter, *v.t.* = to sing
chapeau (*pl.* chapeaux), *n.m.* = hat
chapelle, *n.f.* = chapel
chapitre, *n.m.* = chapter
chaque = each
charcuterie, *n.f.* = delicatessen
chat, *n.m.* = cat
châtain, *adj.* = mid-brown (hair)
château, *n.m.* = castle, chateau
chaton, *n.m.* = kitten
chaud(e), *adj.* = hot
chaussettes, *n.f.pl.* = socks
chaussures, *n.f.pl.* = shoes
chauve, *adj.* = bald
chef d'état, *n.m.* = head of state
chemise, *n.f.* = shirt
cher (*m.*), chère (*f.*), *adj.* = dear, expensive
chercher, *v.t.* = to look for, to fetch
chéri(e), *n.m./n.f.* = darling
cheval (*pl.* chevaux), *n.m.* = horse
cheveux, *n.m.pl.* = hair
chez = to / at the house/shop of …

chez moi = to/at my house
chez toi/vous = to/at your house
chic, *adj.* = smart, trendy
chien, *n.m.* = dog
chiffre, *n.m.* = number, figure, statistic
chimie, *n.f.* = chemistry
chiot, *n.m.* = puppy
chocolat, *n.m.* = chocolate
choisir, *v.t.* = to choose
choix, *n.m.* = choice
chose, *n.f.* = thing
chouette! = brilliant!
cinéma, *n.m.* = cinema
cinq = five
cinquante = fifty
clair, *adj.* = light (colour)
classe, *n.f.* = class
clavier, *n.m.* = keyboard
cochon d'Inde, *n.m.* = guinea-pig
cœur, *n.m.* = heart
collège, *n.m.* = school (secondary)
combien, *adv.* = how much, how many
comme, *adv.* = as, like
commencer, *v.t.* = to begin
comment, *adv.* = how
compléter, *v.t.* = to complete
composer *v.t.* un numéro = to dial a number
composter *v.t.* un billet = to validate a ticket
comprendre, *v.t.* (*irreg.*) = to understand
concours *n.m.* de pétanque, = boules competition
confiture, *n.f.* = jam (food)
confortable, *adj.* = comfortable
connaître, *v.t.* (*irreg.*) (past participle connu) = to know (a person or place)
connu: past participle of connaître, *v.t.* (*irreg.*), to know
consacré *adj.* à = devoted to (i.e. only used for one purpose)
content *adj.* de (+ *infinitive*) = happy to
content(e), *adj.* = happy
cool, *adj.* = cool
copain, *n.m.* = (male) friend
copier, *v.t.* = to copy
copine, *n.f.* = (female) friend
correspondant(e), *n.m./n.f.* = pen friend
corriger, *v.t.* = to correct
costaud(e), *adj.* = stocky
costume, *n.m.* = suit, outfit
côté, *n.m.* = side; de l'autre côté de = on the other side of
côté/à côté de = beside, next to
Côte *n.f.* d'Azur = the French Riviera (south-east coast)

cou, *n.m.* = neck
coucher, *v.i.* = to spend the night
coude, *n.m.* – elbow
couloir, *n.m.* = corridor
cour, *n.f.* = courtyard, playground
courageux, *adj.* = brave
courir, *v.i.* (irreg.) (past participle couru) = to run
courrier, *n.m.* = post (delivery of letters)
cours, *n.m.* = lesson
court(e), *adj.* = short
couru: past participle of courir, *v.i.* (irreg.), to run
couscous, *n.m.* = couscous (a north-African dish)
cousin, *n.m.* = (male) cousin
cousine, *n.f.* = (female) cousin
couteau (*pl.* couteaux), *n.m.* = knife
coûter, *v.t./v.i.* = to cost
couvert, *adj.* = covered; overcast
cravate, *n.f.* = tie
crayon, *n.m.* = pencil
créer, *v.t.* = to create
crème, *n.f.* = cream
croire, *v.t.* (irreg.) (past participle cru) = to believe
croissant, *n.m.* = croissant
cru: past participle of croire, *v.t.* (irreg.), to believe
cuiller, *n.f.* = spoon
cuisine, *n.f.* = kitchen, style of cooking
cuit(e) au feu de bois = charcoal-grilled
curieux (*m.*), curieuse (*f.*), *adj.* = curious
cyclisme, *n.m.* = cycling

# D

d'accord = I agree
d'habitude = usually
dangereux (*m.*), dangereuse (*f.*), *adj.* = dangerous
dans, *prep.* = in, into
danser, *v.i.* = to dance
date, *n.f.* = date
de taille moyenne = of medium build/height
de temps en temps = from time to time
de, *prep.* = of, from, belonging to
débarrasser, *v.t.* = to clear away
début, *n.m.* = beginning
décevant = disappointing
déchiffrer, *v.t.* = to unjumble
décider *v.i.* de = to decide to
découvrir, *v.t.* (irreg.) = to discover, to uncover
décrire, *v.t.* (irreg.) = to describe
déguster, *v.t.* = to sample
déjà, *adv.* = already
déjeuner, *n.m.* = lunch
délicieux (*m.*), délicieuse (*f.*), *adj.* = delicious
demain = tomorrow

demander, *v.t.* = to ask, to ask for
demi(e), *adj.* = half
demi-frère, *n.m.* = half-/step-brother
demi-sœur, *n.f.* = half-/step-sister
dénicher, *v.t.* = to unearth, to dig out
dent, *n.f.* = tooth
dentifrice, *n.m.* = toothpaste
dépendre, *v.i.* = to depend (on)
déposer, *v.t.* = to drop, to leave, to deposit
depuis, *prep./adv.* = since
derrière, *prep.* = behind
des = some, of the, from the (*pl.*)
désagreable, *adj.* = disagreeable, unpleasant
descendre, *v.t./v.i.* = to go down(stairs)
description, *n.f.* = description
déshabiller, *v.t.* = to undress
désolé(e), *adj.* = sorry
dessin animé, *n.m.* = animation, (film) cartoon
dessin, *n.m.* = art (school subject), drawing
dessiner, *v.t.* = to draw (a picture)
dessous, *adv.* = below
dessus, *adv.* = above
détester, *v.t.* = to hate
deux = two
devant, *prep.* = in front of
deviner, *v.t.* = to guess
devoir, *n.m.* = homework task, duty
devoir, *v.i.* (irreg.) (past participle dû) = to have to (must)
devoirs, *n.m.pl.* = homework, prep
dialogue, *n.m.* = dialogue
dictionnaire, *n.m.* = dictionary
différence, *n.f.* = difference
difficile, *adj.* = difficult
dimanche, *n.m.* = Sunday
dîner, *n.m.* = evening meal
dingue, *adj.* = crazy
dire, *v.t.* (irreg.) (past participle dit) = to say, to tell
discuter, *v.t./v.i.* = to discuss, chat
disque, *n.m.* = disc, CD, CD Rom
disquette, *n.f.* = floppy disk
dit = (he, she) says
dit: past participle of dire, *v.t.* (irreg.), to say
divorcé(e), *adj.* = divorced
dix = ten
dix-huit = eighteen
dix-neuf = nineteen
dix-sept = seventeen
documentation, *n.f.* = paperwork
doigt, *n.m.* = finger
dommage, *n.m.* = pity; shame
donc, *conj.* = so, therefore

donner à manger (au chat) = to feed (the cat)
donner, *v.t.* = to give
dos, *n.m.* = back
doux (*m.*), douce (*f.*), *adj.* = quiet, gentle, soft
douze = twelve
droit(e), *adj.* = right
droite, *n.f.* = right-hand side
drôle, *adj.* = funny
dû: past participle of devoir, *v.i.* (irreg.), to have to ("must")
du, *prep.* = of the, from the
dynamique, *adj.* = dynamic

# E

écharpe, *n.f.* = scarf (long)
échecs, *n.m.pl.* = chess
éclair, *n.m.* = flash of lightning; éclair
école maternelle, *n.f.* = kindergarten
école, *n.f.* = school
économiser, *v.i.* = to save (money)
Ecosse, *n.f.* = Scotland
écouter, *v.t.* = to listen to
écran, *n.m.* = screen
écrire, *v.i. & t.* (irreg.) (past participle écrit) = to write
écris-moi vite! = write to me soon! (on letter)
écrit: past participle of écrire, *v.i. & t.* (irreg.), to write
également, *adv.* = equally; also
église, *n.f.* = church
Egypte, *n.f.* = Egypt
élève, *n.m./n.f.* = pupil
elle = she
elles = they (*f.*)
embêtant, *adj.* = irritating
embêter, *v.i. & t.* = to irritate
emploi du temps, *n.m.* = timetable
employé(e), *n.m./n.f.* = employee, office worker
emprunter, *v.t.* = to borrow, to use
en argent = made of silver
en arrivant = on arriving
en face (de) = opposite
en même temps = at the same time
en plein air, *adv.* = in the open air
en retard = late
en train de faire = in the process of ...ing
en, *prep.* = in (a country); by (a means of transport);
encore (du/de la/de l'/des) = more (of something),
encore une fois = again, one more time
enfant, *n.m./n.f.* = child
enfin, *adv.* = well then, at last
ensoleillé, *adj.* = sunny

entendre, *v.t.* = to hear
entendre parler de = to hear of or about
entouré de = surrounded by
entre, *prep.* = between
entrée, *n.f.* = entrance hall, way in
entrer, *v.i.* = to go in, to come in
envoyer, *v.t.* = to send
épaule, *n.f.* = shoulder
époque, *n.f.* = period of time, age, era
équitation, *n.f.* = horse-riding
erreur, *n.f.* = mistake
escalier, *n.m.* = staircase
espace, *n.m.* = space
Espagne, *n.f.* = Spain
espagnol(e), *adj.* = Spanish
espagnol, *n.m.* = Spanish (language)
essayer (de + infin.), *v.t./v.i.* = to try (to)
essuyer, *v.t.* = to wipe
est = is
est, *n.m.* = east
est-ce que ...?: introduces a question
et, *conj.* = and
étage, *n.m.* = floor
étagère, *n.f.* = shelf
étang, *n.m.* = pond
été: past participle of être, *v.i.* (irreg.), to be
étonner, *v.t.* = to surprise
être, *v.i.* (irreg.) (past participle été) = to be
être aux anges = to be supremely happy, 'in heaven'
étude, *n.f.* = study (noun), prep room
étudier, *v.t.* = to study
eu: past participle of avoir, *v.t.* (irreg.), to have
euro, *n.m.* = euro
excusez-moi = excuse me
exemple, *n.m.* = example
exercice, *n.m.* = exercise

# F

facile, *adj.* = easy
facteur, *n.m.* = postman
façon, *n.f.* = way
faible, *adj.* = weak
faim, *n.f.* = hunger
faire, *v.t.* (irreg.) (past participle fait) = to do, to make
faire correspondre = to match up
faire de la planche à voile = to go windsurfing
faire de la voile = to go sailing
faire des recherches = to do research
faire du camping = to go camping
faire du cheval = to go horse-riding
faire du cyclisme = to go cycling

faire du lèche-vitrines = to go window-shopping
faire du patin = to go skating
faire du roller = to go roller-skating
faire du skate = to go skate-boarding
faire du ski = to go skiing
faire la cuisine = to do the cooking
faire la lessive = to do the washing
faire la vaisselle = to do the washing-up
faire le ménage = to do the housework
faire les magasins = to go shopping
faire mal à = to hurt, to harm
faire un pique-nique = to have a picnic
faire un tour = to go for a walk, a ride, a run
faire une promenade = to go for a walk, ride, drive
fait: past participle of faire, *v.t.* (irreg.), to do, to
    make
falloir, *v.i.* (irreg.) (past participle fallu) = to be
    necessary
fallu: past participle of falloir, *v.i.* (irreg.), to be
    necessary
famille, *n.f.* = family
famille nombreuse, *n.f.* = large family
fascinant(e), *adj.* = fascinating
fatigué(e), *adj.* = tired
faut: il faut (+ infin.) = it's necessary to …
faux (*m.*) fausse (*f.*), *adj.* = false
fenêtre, *n.f.* = window
ferme, *n.f.* = farm
fermer, *v.t.* = to close
feuilleter, *v.t.* = to leaf through (a book)
feux, *n.m.pl.* = traffic lights
fichier, *n.m.* = folder (IT)
figure, *n.f.* = face
fille, jeune fille *n.f.* = daughter, young girl
fillette, *n.f.* = little girl
film, *n.m.* = film (at the cinema)
fils, *n.m.* = son
fin, *n.f.* = end
finir, *v.t.* = to finish
flacon de parfum, *n.m.* = bottle of perfume
fois, *n.f.* = time, occasion
foncé(e), *adj.* = dark (colour)
fonder = to found
foot, *n.m.* = football
forêt, *n.f.* = forest
forme, *n.f.* = shape, figure
formidable, *adj.* = brilliant, wonderful
fort(e), *adj.* = strong, good at
fou (*m.*) (de), folle (*f.*) (de), *adj.* = mad (about)
foulard, *n.m.* = headscarf
fourchette, *n.f.* = fork
Français (*m.*), Française, *n.f.* = French person

français(e), *adj.* = French
français, *n.m.* = French (language)
France, *n.f.* = France
frère, *n.m.* = brother
frigo, *n.m.* = fridge
frisé(e) = frizzy, curly
froid(e), *adj.* = cold
froid, *n.m.* = cold
fruit, *n.m.* = fruit, piece of fruit
fruits de mer, *n.m.* = seafood

## G

gagner, *v.t.* = to win, to earn
garçon, *n.m.* = boy
garder, *v.t.* = to keep, to look after
gare *n.f.* SNCF = train station
gauche, *adj.* = left; *n.f.* = left-hand side
gendarmerie, *n.f.* = police force
gendre, *n.m.* = son-in-law
généreux (*m.*), généreuse (*f.*), *adj.* = generous
genou, *n.m.* = knee
gentil (*m.*), gentille (*f.*), *adj.* = kind, nice
géographie, *n.f.* = geography
gerbille, *n.f.* = gerbil
girafe, *n.f.* = giraffe
glacial, *adj.* = icy
gomme, *n.f.* = rubber, eraser
gorge, *n.f.* = throat
gosses, *n.m.*= 'kids'; children
goûter, *n.m.* = tea (4.00 pm snack)
grâce à = thanks to
grand(e), *adj.* = big, tall
grand-mère (*pl.* grands-mères), *n.f.* = grandmother
grand-père (*pl.* grands-pères), *n.m.* = grandfather
grenier, *n.m.* = attic
gris(e), *adj.* = grey
gros (*m.*), grosse (*f.*), *adj.* = big, large
guerre, *n.f.* = war
guichet, *n.m.* = ticket window, counter

## H

habiller, *v.t.* = to dress
habitant, *n.m.* = inhabitant
habiter, *v.t./v.i.* = to live, inhabit
handicapé(e), *adj.* = disabled
haut(e), *adj.* = high
heure, *n.f.* = hour ; à x heures = at x o'clock
heureux (*m.*), heureuse (*f.*), *adj.* = happy
hexagone, *n.m.*= the Hexagone (i.e. France)
histoire, *n.f.* = history, story
homme, *n.m.* = man
honnête, *adj.* = honest

hôpital, *n.m.*= hospital
horloge, *n.f.* = clock
huit = eight

## I

ici, *adv.* = here
idée, *n.f.* = idea
identité, *n.f.* = identity
il = he, it (*m.*)
il y a = there is/are
ils = they (*m.*)
illustré, *n.m.* = glossy magazine
image, *n.f./v.t.* = picture
impasse, *n.f.* = dead-end street
impeccable, *adj.* = perfect
important(e), *adj.* = important
incroyable, *adj.* = incredible, amazing
indispensable, *adj.* = vital
informations (infos), *n.f.* = news (on t.v. etc.)
informatique, *n.f.* = computing (IT)
initiale, *n.f.* = initial
insupportable, *adj.* = unbearable
intelligent(e), *adj.* = intelligent
intéressant(e), *adj.* = interesting
intime = private
inventer, *v.t.* = to invent
irrégulier (*m.*), irrégulière (*f.*), *adj.* = irregular
Italie, *n.f.* = Italy
italien(ne), *adj.* = Italian

## J

j'aimerais = I would like
jamais (ne ... jamais), *adv.* = never
jambe, *n.f.* = leg
jambon, *n.m.* = ham
Japon, *n.m.* = Japan
japonais(e), *adj.* = Japanese
jardin, *n.m.* = garden
jardinage, *n.m.* = gardening
jaune, *adj.* = yellow
je = I
je voudrais = I would like
jean, *n.m.* = pair of jeans
jeu (*pl.* jeux), *n.m.* = game, set (e.g. set of pens)
jeudi, *n.m.* = Thursday
jeune, *adj.* = young
jeune, *n.m.* = youth (16 to 20 year-old)
jeunesse, *n.f.* = youth (abstract noun)
joli(e), *adj.* = pretty
jouer, *v.t./v.i.* = to play
jour, *n.m.* = day, daylight
journal (*pl.* journaux), *n.m.* = newspaper

journée, *n.f.* = day (e.g. a day out) (duration)
joyeux (*m.*), joyeuse (*f.*), *adj.* = happy
jupe, *n.f.* = skirt
jus, *n.m.* (d'orange) = (orange) juice

## L

la = the (*f.*)
labo (laboratoire), *n.m.* = lab(oratory)
lac, *n.m.* = lake
lait, *n.m.* = milk
lampe, *n.f.* = light, lamp
langue, *n.f.* = language, tongue
langues vivantes = modern languages
lapin, *n.m.* = rabbit
largeur, *n.f.* = width
latin, *n.m.* = Latin
laver, *v.t.* = to wash
le, l' = the
mardi, le = on Tuesdays
résultat, le = result
lecture, *n.f.* = reading
lendemain, *n.m.* = the next day
les grandes vacances = the summer holidays
lettre, *n.f.* = letter
leur, *adj.* = their
leur, *pron.* = to them
lever *v.t.* les yeux = to look up
lever, *v.t.* = to raise
librairie, *n.f.* = bookshop
libre, *adj.* = free (unoccupied)
lire, *v.i. & t.* (irreg.) (past participle lu) = to read
lis = (you) read
lit, *n.m.* = bed
living, *n.m.* = living room
livre, *n.m.* = book
loin, *adv.* = a long way away, far
long (*m.*), longue (*f.*), *adj.* = long
longueur, *n.f.* = length
loques: en loques = in tatters
louer, *v.t.* = to rent, hire
loyal, *adj.* = loyal
lu: past participle of lire, *v.i. & t.* (irreg.), to read
lui, *pron.* = to him; to her
lundi, *n.m.* = Monday
lunettes, *n.f.pl.* = glasses

## M

M. (short for monsieur), *n.m.* = Mr
ma, (*f.*). *adj.* = my
madame, *n.f.* = Mrs, madam
mademoiselle, *n.f.* = Miss
magasin, *n.m.* = shop

magazine, *n.m.* = magazine

mai, *n.m.* = May

maigre, *adj.* = slim, thin

main, *n.f.* = hand

maintenant, *adv.* = now

mairie, *n.f.* = town hall; mayor's office

mais, *conj.* = but

maison de la presse, *n.f.* = newsagent

maison, *n.f.* = house

malheureusement, *adv.* = unfortunately

maman, *n.f.* = Mum, Mummy

mamie, *n.f.* = grandma; granny

manger, *v.t.* = to eat

manteau, *n.m.* = overcoat

maquette, *n.f.* = model (plane, car etc.)

marcher, *v.i.* = to walk, to be operational

mardi, *n.m.* = Tuesday

marquer, *v.t.* = to score (marquer un but = to score a goal)

marron, *adj.* = reddish-brown

mars, *n.m.* = March

maths, *n.m.pl.* = Maths

matière, *n.f.* = (school) subject

matin, *n.m.* = morning

mauvais(e), *adj.* = bad

mauve

me = me, to me

méchant(e), *adj.* = nasty, naughty

médecin, *n.m.* = doctor

médicament, *n.m.* = medical treatment

mélanger, *v.t.* = to mix

même, *adj.* = same

ménage, *n.m.* = housework

menu, *n.m.* = menu (fixed-price)

merci = thank you

mercredi, *n.m.* = Wednesday

mère, *n.f.* = mother

merveilleux, *adj.* = wonderful

mes (*pl.*) = my

mesdemoiselles, *n.f.* = young ladies

messieurs-dames, *n.pl.* = ladies and gentlemen

mesurer, *v.t.* = to measure

métro, *n.m.* = underground train

mettre (*irreg.*) / remettre à jour = to update

mettre de côté = to put aside (i.e. save)

mettre la table = to lay the table

mettre, *v.t.* (*irreg.*) (past participle mis) = to put, to put on

mi-chemin, à, *adv.* = half-way

midi, *n.m.* = noon, midday

mignon (*m.*), mignonne (*f.*), *adj.* = sweet, cute

mince, *adj.* = thin, slim

minuit, *n.m.* = midnight

mis: past participle of mettre, *v.t.* (irreg), to put (on)

Mlle (short for Mademoiselle) = Miss

Mme (short for Madame) = Mrs, madam

mode, *n.f.* = fashion

model

moi = me, as for me …

moi aussi = me too

moins le quart = quarter to …

moins, *adv.* = less, minus

moitié, *n.f.* = half

mon chaton, *n.m.* = 'sweetie'; (lit: my kitten)

mon, (*m.*). *adj.* = my

monde, *n.m.* = world

monsieur, *n.m.* = sir, Mr

montagne, *n.f.* = mountain

monter *v.i.* & *t.* à cheval = to ride on horseback

monter, *v.i./v.t.* = to go up; to construct (e.g. a

montrer, *v.t.* = to show

mort(e), *adj.* = dead

mort: past participle of mourir, *v.i.* (irreg.), to die

mot, *n.m.* = word, short note

mouchoir, *n.m.* = handkerchief

moules, *n.f.* = mussels

moules-frites, *n.f.* = mussels and chips

mourir, *v.i.* (irreg.) (past participle mort) = to die

moustique, *n.m.* = mosquito

moyen(ne), *adj.* = medium-sized, average

musicien (*m.*), musicienne (*f.*), *adj.* = musical

musique, *n.f.* = music

mystérieux, *adj.* = mysterious

## N

n'est-ce pas? = isn't that so ?

nager, *v.i.* = to swim

naître, *v.i.* (irreg.) (past participle né) = to be born

né: past participle of naître, *v.i.* (irreg.), to be born

ne … jamais = never

ne … personne = no-one; nobody

ne … plus = no longer; not any more

ne … rien = nothing

ne t'inquiète pas! = Don't worry!

nécessaire, *adj.* = necessary

négatif (*m.*), negative (*f.*), *adj.* = negative

nettoyer, *v.t.* = to clean

neuf (*m.*), neuve (*f.*), *adj.* = (brand) new

neuf = nine

neveu, *n.m.* = nephew

nez, *n.m.* = nose

nièce, *n.f.* = niece

noir(e), *adj.* = black, dark

nom, *n.m.* = name, surname, noun

nombreux (*m.*), nombreuse (*f.*), *adj.* = numerous
non, *adv.* = no
nord, *n.m.* = north
normal(e) (*m. pl.* normaux), *adj.* = normal
nos (*pl.*) = our
notre (*sing.*) = our
nous = we, us
nouveau (*m.*), nouvel (*m.* before a vowel or silent 'h'), nouvelle (*f.*), *adj.* = new
nouveau venu, *n.m.* = newcomer
nouvelles, *n.f.* = news (e.g. family news)
nuage, *n.m.* = cloud
nuageux, *adj.* = cloudy
nul (*m.*), nulle (*f.*), *adj.* = useless
numéro, *n.m.* = number

## O

objet, *n.m.* = object
occasion, *n.f.* = opportunity; occasion
œil (*pl.* yeux), *n.m.* = eye
office du tourisme, *n.m.* = tourist office
oiseau (*pl.* oiseaux), *n.m.* = bird
on = one, we
on y va = let's go
on y va? = shall we go?
oncle, *n.m.* = uncle
onze = eleven
optimiste, *adj.* = optimistic, positive
ordinateur, *n.m.* = computer
ordonnance, *n.f.* = prescription (medical)
oreille, *n.f.* = ear
os, *n.m.* = bone
où, *adv. and prep.* = where
ou, *conj.* = or
oublier, *v.t.* = to forget
ouest, *n.m.* = west
oui = yes
ouvert: past participle of ouvrir, *v.t.* (irreg.), to open
ouvrir (*irreg.*), *v.t.* (past participle ouvert) = to open

## P

paille, *n.f.* = straw
pain, *n.m.* = bread
panorama, *n.m.* = all-round view
pantalon, *n.m.* = pair of trousers
papa, *n.m.* = Dad, Daddy
papier, *n.m.* = paper, piece of paper
par, *prep.* = by, through
parc d'attractions, *n.m.* = theme park
parc, *n.m.* = park
parce que, *conj.* = because
pardon! = sorry!

pareil (*m.*) pareille (*f.*), *adj.* = equal, the same
parents, *n.m.pl.* = parents
paresseux (*m.*), paresseuse (*f.*), *adj.* = lazy
parfaitement = perfectly
parfois, *adv.* = sometimes
parking, *n.m.* = car park
parler, *v.t./v.i.* = to speak
partenaire, *n.m./n.f.* = partner
partir (*irreg.*), *v.i.* = to depart; to set off
pas (ne ... pas) = not (in a verb expression)
pas, *adv.* = not
passage, *n.m.* = passage
passé, *n.m.* = past
passer, *v.t./v.i.* = to pass, to spend (time)
passer l'aspirateur = to do the hoovering
passionnant(e), *adj.* = exciting
pastilles, *n.f.* = pastilles (med.)
patates, *n.f.pl.* = 'spuds', potatoes
pâtes (italiennes), *n.f.* = pasta
patin, *n.m.* = skate
patinoire, *n.f.* = skating rink
pause, *n.f.* = break (noun)
pauvre, *adj.* = poor
payer, *v.t.* = to pay for
peau, *n.f.* = skin
pêche, *n.f.* = fishing; peach
pêcher, *v.t./v.i.* = to fish
peigne, *n.m.* = comb
pendant que, *conj.* = whilst, while
pendant, *prep.* = during
penser, *v.i.* = to think
pensionnat, *n.m.* = boarding school
père, *n.m.* = father
perroquet, *n.m.* = parrot
perruche, *n.f.* = budgie
persienne, *n.f.* = slatted window-shutters
personnage, *n.m.* = character (person)
personne (ne ... personne) = no one, nobody
personne, *n.f.* = person
peser, *v.t./v.i.* = to weigh
pétillant, *adj.* = sparkling
petit = small, little
petit boulot, *n.m.* = holiday job
petit déjeuner, *n.m.* = breakfast
petite-fille, *n.f.* = granddaughter
petit-fils, *n.m.* = grandson
petits-enfants, *n.m.pl.* = grandchildren
peu, *adv.* = not much
peur, *n.f.* = fear
peut-être, *adv.* = perhaps
pharmacie, *n.f.* = chemist's shop; pharmacy
pharmacien, *n.m.* = chemist

pharmacienne, *n.f.* = chemist
photo, *n.f.* = photograph
phrase, *n f* = sentence, phrase
physique, *n.f.* = physics
pièce, la = each (with prices)
pièce, *n.f.* = room, coin, play (theatre)
pied, *n.m.* = foot
pieds nus = in bare feet
ping-pong, *n.m.* = table tennis
piscine, *n.f.* = swimming pool
place, *n.f.* = square (in a town); seat (bus, cinema, etc.)
plage, *n.f.* = beach
plateau de fruits de mer, *n.m.* = seafood platter
plus, *adv.* = more
poche, *n.f.* = pocket
pochette, *n.f.* = supermarket plastic bag
pointure, *n.f.* = shoe size
poirier, *n.m.* = pear tree
poisson rouge, *n.m.* = goldfish
poisson, *n.m.* = fish
poitrine, *n.f.* = chest (upper body)
poli(e), *adj.* = polite
police, *n.f.* = police
pomme de terre, *n.f.* = potato
pommier, *n.m.* = apple tree
pont, *n.m.* = bridge
port de plaisance, *n.m.* = marina
porte, *n.f.* = door
porte-clés, *n.m.* = key-ring
porter, *v.t.* = to wear, to carry
poser *v.t.* une question = to ask a question
poubelle, *n.f.* = dustbin
pouce, *n.m.* = thumb
poulet, *n.m.* = chicken
pour = for, in order to
pour aller à ...? = How do I get to...?
pourquoi, *adv.* = why
pouvoir, *v.i.* (irreg.) (past participle pu) = to be able (can)
pratiquer, *v.t.* = to do (e.g. a sport)
préau, *n.m.* = covered courtyard
préféré(e), *adj.* = favourite
préférer, *v.t.* = to prefer
premier (*f.* première), *adj.* = first
prendre, *v.t.* (irreg.) (past participle pris) = to take, to have (meals)
prendre (*irreg.*) rendez-vous = to make an appointment
préparer, *v.t.* = to prepare
près de = near to
présent(e), *adj.* = present

prêter, *v.t.* = to lend
pris: past participle of prendre, *v.t.* (irreg.), to take
prix, *n.m.* = price, prize
problème, *n.m.* = problem
prof, *n.m.* = teacher (slang)
professeur, *n.m.* = teacher
profiter *v.i.* de = to take advantage of
promener le chien = to walk the dog
promener, *v.t.* = to walk
promettre *v.i.* (*irreg.*) de = to promise to
proposer, *v.i.* = to suggest
propriétaire, *n.m./n.f.* = owner
pu: past participle of pouvoir, *v.i.* (irreg.), to be able ("can")
puis, *adv.* = then
pull, *n.m.* = pullover, jumper
punir, *v.t.* = to punish
pupitre, *n.m.* = desk
Pyramides, *n.f.*= pyramids

## Q

qu'est-ce qu'il y a? = What is there?; What's the matter?
qu'est-ce que ... ? = what ... ?
qu'est-ce que? = what?
quand même = anyway; nonetheless
quand, *adv.* = when
quarante = forty
quart, *n.m.* = quarter
quasi- = almost
quatorze = fourteen
quatre = four
quatre-vingts = eighty
que (qu' before a vowel) = that, which, who(m)
que? = what?
quel (*m.*), quelle (*f.*), *adj.* = what
quelle histoire! = What a fiasco!
quelque chose = something
quelque(s) = some (a few)
quelquefois, *adv.* = sometimes
qui = who, which, that
qui est-ce? = Who is it?
qui? = who?
quinze = fifteen
quinze jours = a fortnight
quitter, *v.t.* = to leave (e.g. a room)
quoi, = what

## R

raconter, *v.t.* = to tell
radio, *n.f.* = radio
raie, *n.f.* = ray (fish)

ranger, *v.t.* = to tidy, to put away

rapé = shredded

rayon, *n.m.* = ray (of light); department (in store)

recevoir, *v.t.* (irreg.) (past participle reçu) = to receive

reconnaître, *v.t.(irreg., like* connaître) = to recognise

récré(ation), *n.f.* = break time

reçu: past participle of recevoir, *v.t.* (irreg.), to receive

réduction, *n.f.* = reduction

réfléchir, *v.i.* = to think (carefully)

regarder, *v.t.* = to watch, to look at

règle, *n.f.* = ruler, rule

régulier (*f.* régulière), *adj.* = regular

remarquer, *v.t.* = to notice

remplir, *v.t.* = to fill

remporter = to win (literally, to take away)

rendre, *v.t.* = to hand in, to give back

rentrer, *v.i.* = to go home

répéter, *v.t.* = to repeat, to rehearse

répit, *n.m.* = rest, breathing space

restaurant, *n.m.* = restaurant

rester, *v.i.* = to stay

resto, *n.m.* = (slang) restaurant

résultat, *n.m.* = result

retard, *n.m.* = delay, slowness

rétroprojecteur, *n.m.* = overhead projector

réunir, *v.t.* = to rejoin

réussir *v.t. & i.* (à) = to succeed (at)

réveiller, *v.t.* = to wake

réviser, *v.t.* = to revise

rez-de-chaussée, *n.m.* = ground floor

ri: past participle of rire, *v.i.* (irreg.), to laugh

rien (ne … rien) = nothing

rire, *v.i.* (irreg.) (past participle ri) = to laugh

rivière, *n.f.* = river

robe, *n.f.* = dress

roi, *n.m.* = king

roman, *n.m.* = novel (book)

rond-point, *n.m.* = roundabout (traffic system)

rosbif, *n.m.* = roast beef

rosée, *n.f.* = dew

rouge, *adj.* = red

rouler, *v.i.* = to go along (on wheels); to roll

route, *n.f.* = road

roux (*f.* rousse), *adj.* = red (of hair)

roux/rousse, *n.m./n.f.* = redhead

rue, *n.f.* = street

russe, *adj.* = Russian

## S

s'allonger, *v.r.* = to lie down

s'amuser, *v.r.* = to enjoy oneself; to have fun

s'appeler, *vr* = to be called

s'arrêter, *vr* = to stop (oneself)

s'asseoir (*irreg.*), *v.r.* = to sit down

s'endormir, *v.r.* = to fall asleep

s'habiller, *vr* = to get dressed

s'il te/vous plaît = please

s'installer, *v.r.* = to get settled in

s'intéresser *v.r.* à = to be interested in

s'occuper de, *vr* = to be busy, to look after

sa (*f.*), *adj.* = his, her, its, one's

sage, *adj.* = well-behaved

sale, *adj.* = dirty

salle à manger = dining room

salle de bains = bathroom

salle de classe = classroom

salle de séjour = sitting room

salle de réunions = assembly hall

salle, *n.f.* = room

salon, *n.m.* = sitting room

salut! = hi!

samedi, *n.m.* = Saturday

saucisse, *n.f.* = sausage

saumon, *n.m.* = salmon

savoir, *v.t.* (irreg.) (past participle su) = to know (a fact)

savon, *n.m.* = soap

sciences, *n.f.pl.* = science

se baigner, *v.r.* = to go swimming; to bathe

se casser le bras, *v.r.* = to break one's arm

se coucher, *v.r.* = to go to bed

se dépêcher, *v.r.* = to hurry

se dérouler, *v.r.* = to take place

se déshabiller, *vr* = to get undressed

se disputer, *v.r.* = to argue

se donner *v.r.* rendez-vous = to arrange to meet

se faire mal, *v.r.* = to hurt oneself

se laver, *v.r.* = to get washed

se lever, *v.r.* = to get up

se présenter, *v.r.* = to introduce oneself, to 'report'

se promener = to go for a walk

se rappeler, *v.r.* = to recall

se reposer, *v.r.* = to rest

se retrouver, *v.r.* = to meet up

se réunir, *v.r.* = to meet up; to have a meeting

se réveiller, *v.r.* = to wake up

se souvenir (de) (*irreg., like* venir), *v.r.* = to remember

se trouver, *v.r.* = to be situated

seize = sixteen

séjour, *n.m.* = living room

semaine, *n.f.* = week

sept = seven

serpent, *n.m.* = snake

serviette, *n.f.* = towel; briefcase

ses (*pl.*), *adj.* = his, her, its, one's

seulement, *adv.* = only

sévère, *adj.* = strict

shampooing, *n.m.* = shampoo

short, *n.m.* = pair of shorts

si = if; so

si grand = so big

si! = yes! (in disagreement)

si, *conj./adv.* = if, so (so big etc.)

six = six

sœur, *n.f.* = sister

soir, *n.m.* = evening

soit ... soit ... = either ... or ...

soldes, *n.m.pl.* = sales (in the shops)

somnoler, *v.i.* = to doze

son (*m.*), *adj.* = his, her, its, one's

son, *n.m.* = sound

sont = (they) are

sortir (le chien) = to take (the dog) out

sortir (les poubelles) = to take (the bins) out

sortir, *v.i./v.t.* (irreg.) = to go out/take out

soudain, *adj.& adv.* = sudden; suddenly

souriant(e), *adj.* = cheerful, smiley

souri: past participle of sourire, *v.i.* (irreg.), to smile

sourire, *v.i.* (irreg.) (past participle souri) = to smile

souris, *n.f.* = mouse

sous, *prep.* = under

souterrain, *adj.* = underground

souvent, *adv.* = often

sport, *n.m.* = sport, games

sportif (*m.*), sportive (*f.*), *adj.* = sporty

station de métro, *n.f.* = underground train station

steak-frites, *n.m.* = steak and chips

stupide, *adj.* = stupid

stylo, *n.m.* = fountain pen

su: past participle of savoir, *v.t.* (irreg.), to know

sucreries, *n.f.pl.* = sweet things

sud, *n.m.* = south

suis (from être) = (I) am!

suis! (from suivre) = follow!

suisse, *adj.* = Swiss

Suisse, *n.f.* = Switzerland

suivant(e), *adj.* = following

suivi: past participle of suivre, *v.t.* (irreg.), to follow

suivre, *v.t.* (irreg.) (past participle suivi) = to follow

super- = extremely (+ *adj.*)

superbe, *adj.* = impressive

superette, *n.f.* = small supermarket

sur le point de (+ *infinitive*) = about to ...

sûr(e), *adj.* = sure, certain, safe

sur, *prep.* = on (on top of)

surtout, *adv.* = above all, especially

surveillant/e, *n.m./n.f.* = supervisor

sympa (short for sympathique), *adj.* = nice

# T

ta (*f.*), *adj.* = your

table, *n.f.* = table

tableau, *n.m.* = board

taille, *n.f.* = size

tante, *n.f.* = aunt

tard, *adv.* = late

tartine, *n.f.* = bread with spread

tartiner, *v.t.* = to spread (on bread)

technologie, *n.f.* = technology

télé(vision), *n.f.* = television

téléphoner, *v.i.* = to phone

tellement, *adv.* = so (much)

temps, *n.m.* = time, weather

tenir, *v.t.* (irreg.) (past participle tenu) = to hold

tennis, *n.m.* = tennis

tennis, *n.m.pl.* = trainers

tenu: past participle of tenir, *v.t.* (irreg.), to hold

tenue, *n.f.* = strip, kit, clothing

tes (*pl.*), *adj.* = your

tête, *n.f.* = head

thé, *n.m.* = tea

théâtre, *n.m.* = theatre

ticket, *n.m.* = ticket

tiens! = goodness!

timide, *adj.* = shy

tiroir, *n.m.* = drawer

toi = you

ton (*m.*), *adj.* = your

ton, *n.m.* = tone

tondre *v.t.* (la pelouse) = to mow; to trim (the lawn)

tortue, *n.f.* = tortoise

toujours, *adv.* = always

tous les jours = every day

tous les mardis = every Tuesday

tout de suite, *adv.* = right away, immediately

tout le monde = everybody, everyone

tout(e) (*pl.* tous), *adj.* = all, every

toute la journée = all day

toutes les semaines = every week

traduire, *v.t.* (irreg.) = to translate

train, *n.m.* = train

travail (*pl.* travaux), *n.m..* = work

travailler, *v.i.* = to work

travailleur(euse), *adj.* = hard-working

travaux manuels = craft

traverser, *v.t.* = to cross (an open space)
treize = thirteen
trente = thirty
très, *adv.* = very
trésor, *n.m.* = treasure
triste, *adj.* = sad
trois = three
trop de … = too much …, too many …
trop, *adv.* = too (much)
trousse, *n.f.* = pencil case
trouver, *v.t.* = to find
truite, *n.f.* = trout
t-shirt, *n.m.* = t-shirt
tu = you (*sing.*)

## U

un (*m.*), une (*f.*) = a, one (number)
unité, *n.f.* = unit
utile, *adj.* = useful

## V

vacances, *n.f.pl.* = holidays
vache, *n.f.* = cow
vaisselle, *n.f.* = washing-up
vallée, *n.f.* = valley
vas-y! = Go on!
vécu: past participle of vivre, *v.i.* (irreg.), to live
veille, *n.f.* = previous day, the eve (la veille de Nöel)
vélo, *n.m.* = bike
vendre, *v.t.* = to sell
vendredi, *n.m.* = Friday
venir, *v.i.* (irreg.) (past participle venu) = to come
venir de (+ *infinitive*) = to have just
ventre, *n.m.* = tummy
venu: past participle of venir, *v.i.* (irreg.), to come
verbe, *n.m.* = verb
verger, *n.m.* = orchard
vérifier, *v.t.* = to check
verre, *n.m.* = glass (drinking or material)

vers, *prep.* = towards
vert(e), *adj.* = green
veste, *n.f.* = jacket
vêtements, *n.m.pl.* = clothes
viande, *n.f.* = meat
vie, *n.f.* = life
vieux (*m.*), vieil (*m.* before a vowel), vieille (*f.*), *adj.*
village, *n.m.* = village
ville, *n.f.* = town
vin de pays, *n.m.* = local wine
vingt = twenty
violet (*m.*), violette (*f.*), *adj.* = violet (purple,
violon, *n.m.* = violin
visage, *n.m.* = face
vite, *adv.* = quickly
vivre, *v.i.* (irreg.) (past participle vécu) = to live (i.e. be alive)
vocabulaire, *n.m.* = vocabulary
voici = here is, here are
voilà = there is, there are; there you are!
voir, *v.t.* (irreg.) (past participle vu) = to see
voisin(e), *n.m./n.f.* = neighbour
voiture, *n.f.* = car
voix, *n.f.* = voice
volet, *n.m.* = shutter
vouloir, *v.t.* (irreg.) (past participle voulu) = to want
voulu: past participle of vouloir, *v.t.* (irreg.), to want (to)
vous = you (*pl.*)
vrai(e), *adj.* = true
vu: past participle of voir, *v.t.* (irreg.), to see

## W

week-end, *n.m.* = weekend

## Y

y, *adv.* = there (il y a = there is/are)
zut! = bother!

# English to French Vocabulary

## A

a = un (*m.*), une (*f.*)
a little bit = un peu
a long way away (from) = loin (de), *adv.*
a lot of = beaucoup de
able, to be = pouvoir, *v.i.* (irreg.)
about to = sur le point de (+ *infin.*)
above all, especially = surtout, *adv.*
absent = absent(e), *adj.*
active = actif (*m.*), active (*f.*), *adj.*
adopted = adopté(e), *adj.*
afraid, to bc = avoir peur
after = après, *prep.*
afternoon = après-midi, *n.m.*
again = encore une fois
age = âge, *n.m.*
agricultural = agricole, *adj.*
all = tout(e) (*m.pl.* tous, *f.pl.* toutes), *adj.*
all day = toute la journée
all-round view = panorama, *n.m.*
already = déjà, *adv.*
also, too = aussi
always = toujours, *adv.*
amusing = amusant(e), *adj.*
and = et, *conj.*
animal = animal (*pl.* animaux), *n.m.*; bête, *n.f.*
answer (noun) = réponse, *n.f.*
answer, to = répondre, *v.i.*
anyway; nonetheless = quand même
apple tree = pommier, *n.m.*
argue, to = se disputer, *v.r.*
arm = bras, *n.m.*
arrange to meet, to = se donner *v.r.* rendez-vous
arrive, happen, to = arriver, *v.i.*
art (school subject) = dessin, *n.m.*
as, like = comme, *adv.*
ashamed, to be = avoir honte
ask a question, to = poser *v.t.* une question
ask, ask for, to = demander, *v.t.*
assembly hall = salle des réunions, *n.f.*
at = à
at the same time = en même temps
at x o'clock = à x heures
aunt = tante, *n.f.*
avenue = avenue, *n.f.*
away (e.g. 3 km away) = à (3 km)

## B

back = dos, *n.m.*
badly-behaved = méchant(e), *adj.*
baker = boulanger, *n.m.*; boulangère, *n.f.*
baker's shop = boulangerie, *n.f.*
bald = chauve, *adj.*
bare feet, in = pieds nus
basketball = basket, *n.m.*
bathroom = salle de bains, *n.f.*
be, to = être, *v.i.* (irreg.)
beach = plage, *n.f.*
because = parce que, *conj.*
bed = lit, *n.m.*
bed, to go to = se coucher, *v.r.*
bedroom = chambre, *n.f.*
beer = bière, *n.f.*
before = avant, *prep.*
before …ing = avant de (+ infin.)
begin, to = commencer, *v.t.*
behind = derrière, *prep.*
Belgium = Belgique, *n.f.*
believe, to = croire, *v.i.* (irreg.)
belle (*f.*), *adj.*
beside = à côté de
best wishes (on letter) = amitiés, *n.f.pl.*
between = entre, *prep.*
big, large = gros (*m.*), grosse (*f.*), *adj.*
big, tall = grand(e), *adj.*
bike = vélo, *n.m.*
bin = poubelle, *n.f.*
biology = biologie, *n.f.*
bird = oiseau (*pl.* oiseaux), *n.m.*
birthday = anniversaire, *n.m.*
bit by bit = au fur et à mesure
black = noir(e), *adj.*
blue = bleu(e), *adj.*
board = tableau, *n.m.*
boarding school = pensionnat, *n.m.*
bone = os, *n.m.*
book = livre, *n.m.*
bookshop = librairie, *n.f.*
boots = bottes, *n.f.pl.*
borrow, to = emprunter, *v.t.*
bottle of perfume = flacon de parfum, *n.m.*
bowl = bol, *n.m.*
box = boîte, *n.f.*

boy = garçon, *n.m.*
bracelet = bracelet, *n.m.*
brave = courageux, *adj.*
bread = pain, *n.m.*
bread with spread = tartine, *n.f.*
break (noun) = pause, *n.f.*; récré(ation), *n.f.*
break one's arm, to = se casser le bras, *v.r.*
break, to = casser, *v.t.*
breakfast = petit déjeuner, *n.m.*
bridge = pont, *n.m.*
briefcase = serviette, *n.f.*
brilliant! = chouette! formidable!, *adj.*
bring, to = apporter, *v.t.*
brioche (cake-like sweetened bread) = brioche, *n.f.*
British = britannique, *adj.*
brother = frère, *n.m.*
brother-in-law = beau-frère, *n.m.*
brown = brun(e), *adj.*
budgie = perruche, *n.f.*
building = bâtiment, *n.m.*
bulky = gros (*f.* grosse), *adj.*
bus stop = arrêt de bus, *n.m.*
but = mais, *conj.*
butter = beurre, *n.m.*
buy, to = acheter, *v.t.*
by = par, *prep.*
by car = en voiture

## C

café (bar) = café, *n.m.*
calculator = calculatrice, *n.f.*
call, to = appeler, *v.t.*
called, to be = s'appeler, *v.r.*
camera = appareil photo, *n.m.*
camp site = camping, *n.m.*
Canadian = canadien (*m.*), canadienne (*f.*), *adj.*
cap = casquette, *n.f.*
car = voiture, *n.f.*
car park = parking, *n.m.*
card = carte, *n.f.*
carry, to = porter, *v.t.*
cartoon (comic strip) = bande dessinée, *n.f.*
cartoon (film) = dessin animé, *n.m.*
cat = chat, *n.m.*
CD = disque, *n.m.*
celery = céleri, *n.m.*
cereal (breakfast) = céréales, *n.f.pl.*
cette (*f.*)
chair = chaise, *n.f.*
character (person) = personnage, *n.m.*
character (quality) = caractère, *n.m.*
chat, to = discuter, *v.i.*, bavarder, *v.i.*

chatty, talkative = bavard(e), *adj.*
check, to = vérifier, *v.t.*
cheerful = souriant(e), *adj.*
chemist = pharmacien, *n.m.*; pharmacienne, *n.f.*
chemist's shop; pharmacy = pharmacie, *n.f.*
chemistry = chimie, *n.f.*
chess = échecs, *n.m.pl.*
chest (upper body) = poitrine, *n.f.*
chicken = poulet, *n.m.*
child = enfant, *n.m./n.f.*
chocolate = chocolat, *n.m.*
choice = choix, *n.m.*
choose, to = choisir, *v.t.*
church = église, *n.f.*
cinema = cinéma, *n.m.*
classroom = salle de classe, *n.f.*
clear away, to = débarrasser, *v.t.*
clothes = vêtements, *n.m.pl.*
cloud = nuage, *n.m.*
cloudy = nuageux, *adj.*
coffee = café, *n.m.*
coffee pot = cafetière, *n.f.*
cold, to be = avoir froid
comb = peigne, *n.m.*
come, to = venir, *v.i.* (irreg.)
comfortable = confortable, *adj.*
competition = concours, *n.m.*
computer = ordinateur, *n.m.*
computing (IT) = informatique, *n.f.*
construct (e.g. a model), to = monter, *v.t.*
continued (to be continued) = à suivre
cooking, to do = faire la cuisine
correct, to = corriger, *v.t.*
corridor = couloir, *n.m.*
cost, to = coûter, *v.t./v.i.*
countryside = campagne, *n.f.*
courtyard, playground = cour, *n.f.*
cousin (female) = cousine, *n.f.*
cousin (male) = cousin, *n.m.*
covered courtyard = préau, *n.m.*
covered; overcast = couvert, *adj.*
craft = travaux manuels, *n.m.pl.*
crazy = dingue, *adj.*
cream = crème, *n.f.*
create, to = créer, *v.t.*
croissant = croissant, *n.m.*
cross (an open space), to = traverser, *v.t.*
crossroads = carrefour, *n.m.*
crush, squash, to = écraser, *v.t.*
curious = curieux, *adj.*
curly = bouclé(e), *adj.*
cycling, to go = faire du cyclisme/vélo

## D

Dad, Daddy = papa, *n.m.*
dark (colour) = foncé(e), *adj.*
date = date, *n.f.*
daughter = fille, *n.f.*
daughter-in-law = belle-fille, *n.f.*
dawn = aube, *n.f.*
day (e.g. a day out) = journée, *n.f.*
day, daylight = jour, *n.m.*
dead = mort(e), *adj.*
dead-end street = impasse, *n.f.*
dear = cher (*m.*), chère (*f.*), *adj.*
decide to, to = décider *v.i.* de
delicatessen = charcuterie, *n.f.*
delicious = délicieux (*m.*), délicieuse (*f.*), *adj.*
department (in store) = rayon, *n.m.*
depend (on), to = dépendre (de), *v.i.*
describe, to = décrire, *v.t.* (irreg.)
desk (for a pupil) = pupitre, *n.m.*
devoted to (i.e. only used for one purpose) =
    consacré *adj.* à
dew = rosée, *n.f.*
dial a number, to = composer *v.t.* un numéro
dialogue = dialogue, *n.m.*
dictionary = dictionnaire, *n.m.*
difficult = difficile, *adj.*
difficulty in (doing), to have = avoir du mal à (+
    *infinitive*)
digit = chiffre, *n.m.*
dining room = salle à manger, *n.f.*
dirty = sale, *adj.*
disabled = handicapé(e), *adj.*
disc = disque, *n.m.*,
discover, to = découvrir, *v.t.* (irreg.)
divorced = divorcé(e), *adj.*
do, make, to = faire, *v.t.* (irreg.)
doctor = médecin, *n.m.*
dog = chien, *n.m.*
Don't worry! = ne t'inquiète pas!
door = porte, *n.f.*
down(stairs), to go = descendre, *v.t./v.i.*
doze, to = somnoler, *v.i.*
draw (a picture), to = dessiner, *v.t.*
drawer = tiroir, *n.m.*
drawing (noun) = dessin, *n.m.*
dress = robe, *n.f.*
dress, to = s'habiller, *v.r.*
drink, to = boire, *v.t.* (irreg.)
drop (leave, deposit), to = déposer, laisser,
    tomber, *v.t.*
during = pendant, *prep.*

## E

each = chaque, *adj.*
ear = oreille, *n.f.*
earring = boucle d'oreille, *n.f.*
east = est, *n.m.*
easy = facile, *adj.*
eat, to = manger, *v.t.*
Egypt = Egypte, *n.f.*
either ... or ... = soit ... soit ...
elbow = coude, *n.m.*
elder, eldest = aîné(e), *adj.*
employee, office worker = employé(e), *n.m./n.f.*
end (noun) = fin, *n.f.*
England = Angleterre, *n.f.*
English (language) = anglais, *n.m.*
English = anglais(e), *adj.*
English person = Anglais, *n.m.*, Anglaise, *n.f.*
enjoy oneself, to; to have fun = s'amuser, *v.r.*
enough = assez (de), *adv.*
enthusiast = amateur, *n.m.*
entrance area, lobby = foyer, *n.m.*
entrance hall, way in = entrée, *n.f.*
equal, the same = pareil (*m.*) pareille (*f.*), *adj.*
equally; also = également, *adv.*
euro = euro, *n.m.*
evening = soir, *n.m.*
evening meal = dîner, *n.m.*
every = tous les ...
every day = tous les jours
every week = toutes les semaines
everybody, everyone = tout le monde
example = exemple, *n.m.*
exciting = passionnant(e), *adj.*
exercise book = cahier, *n.m.*
expensive = cher (*m.*), chère (*f.*), *adj.*
extremely (+ *adj.*) = archi-, supereye
eye = œil (*pl.* yeux), *n.m.*

## F

face = figure, *n.f.*
face = visage, *n.m.*
fall asleep, to = s'endormir, *v.r.*
false = faux (*m.*), fausse (*f.*), *adj.*
family = famille, *n.f.*
farm = ferme, *n.f.*
fascinating = fascinant,e), *adj.*
fashionable = à la mode
fat (overweight) = gros (*m.*), grosse (*f.*), *adj.*
father = père, *n.m.*
father-in-law = beau-père, *n.m.*
favourite = préféré,e), *adj.*
feed (the cat), to = donner à manger (au chat)

fencing (sport) = escrime, *n.f.*
fencing, to do = faire de l'escrime
field = champ, *n.m.*
fill, to = remplir, *v.t.*
film (at the cinema) = film, *n.m.*
film (for a camera) = pellicule, *n.f.*
find, to = trouver, *v.t.*
finger = doigt, *n.m.*
finish, to = finir, *v.t.*
fish = poisson, *n.m.*
fishing = pêche, *n.f.*
fishing, to go = aller à la pêche, *v.i.*
flash of lightning; éclair = éclair, *n.m.*
floor = étage, *n.m.*
floppy disk = disquette, *n.f.*
folder (IT) = fichier, *n.m.*
follow, to = suivre, *v.t.* (irreg.)
foot = pied, *n.m.* (on foot = à pied)
for, in order to = pour
forest = forêt, *n.f.*
forget, to = oublier, *v.t.*
fork = fourchette, *n.f.*
fortnight = quinze jours
fountain pen = stylo, *n.m.*
frame(work); setting = cadre, *n.m.*
France = France, *n.f.*
free (unoccupied) = libre, *adj.*
French (language) = français, *n.m.*
French = français(e), *adj.*
French person = Français, *n.m.*, Française, *n.f.*
French Riviera (south-east coast) = Côte *n.f.* d'Azur
Friday = vendredi, *n.m.*
friend (female) = copine, *n.f.*
friend (male) = copain, *n.m.*
friend = ami, *n.m.*, amie, *n.f.*
frightful = affreux (*m*), affreuse, (*f.*), *adj.*
frizzy = frisé(e), *adj.*
from = de, *prep.*
from ... to ... = de ... à ...
from time to time = de temps en temps
fruit, piece of fruit = fruit, *n.m.*
funny = drôle, *adj.*

## G

game = jeu (*pl.* jeux), *n.m.*
garden = jardin, *n.m.*
gardening = jardinage, *n.m.*
generous = généreux (*m.*), généreuse (*f.*), *adj.*
geography = géographie, *n.f.*
gerbil = gerbille, *n.f.*
German (language) = allemand, *n.m.*
German = allemand(e), *adj.*

Germany = Allemagne, *n.f.*
get tanned, to = bronzer, *v.i.*
get up, to = se lever, *v.r.*
gift = cadeau (*pl.* cadeaux), *n.m.*
gifted (at) = doué(e) (pour), *adj.*
giraffe = girafe, *n.f.*
girl = fille, *n.f.*
give back, to = rendre, *v.t.*
give, to = donner, *v.t.*
glass (drinking or material) = verre, *n.m.*
glasses (spectacles) = lunettes, *n.f.pl.*
go camping, to = faire (irreg.) du camping
go down, to = descendre, *v.i.*
go in, come in, to = entrer, *v.i.*
Go on! = vas-y!
go out, to = sortir, *v.i.* (irreg.)
go sailing, to = faire (irreg.) de la voile
go shopping, to = faire (irreg.) les magasins
go swimming, to; to bathe = se baigner, *v.r.*
go up, to = monter, *v.i.*
go window-shopping, to = faire (irreg.) du lèche-vitrines
go windsurfing, to = faire (irreg.) de la planche à voile
go, to = aller, *v.i.* (irreg.)
goal = but, *n.m.*
goldfish = poisson rouge, *n.m.*
good evening = bonsoir
good grief! well, I never! = ça alors!
good, right, correct = bon (*m.*), bonne (*f.*), *adj.*
goodbye! = au revoir!
goodness! = tiens!
grandchildren = petits-enfants, *n.m.pl.*
granddaughter = petite-fille, *n.f.*
grandfather = grand-père, *n.m.*
grandma; granny = mamie, *n.f.*
grandmother = grand-mère (*pl.* grands-mères), *n.f.*
grandson = petit-fils, *n.m.*
green = vert(e), *adj.*
grey = gris(e), *adj.*
ground floor = rez-de-chaussée, *n.m.*
guess, to = deviner, *v.t.*
guinea-pig = cochon d'Inde, *n.m.*

## H

hair = cheveux, *n.m.pl.*
half (noun) = moitié, *n.f.*
half = demi(e), *adj.*
half past *x* = *x* heures et demie
half-brother = demi-frère, *n.m.*
half-sister = demi-sœur, *n.f.*
half-way = à mi-chemin, *adv.*

ham = jambon, *n.m.*
hand = main, *n.f.*
hand in, give back, to – rendre, *v.t.*
handsome = beau (*m.*), bel (*m.* before vowel or 'h'),
happy = content(e), *adj.*
happy = heureux (*m.*), heureuse (*f.*), *adj.*
happy to = content *adj.* de (+ *infinitive*)
hard-working = travailleur(euse), *adj.*
hat = chapeau (*pl.* chapeaux), *n.m.*
hate, to = détester, *v.t.*
have a picnic, to = faire (irreg.) un pique-nique
have just, to = venir de (+ *infinitive*)
have pain in (part of the body), to = avoir mal à
have to (must), to = devoir, *v.i.* (irreg.)
have, to = avoir, *v.t.*
he, it (*m.*) = il
head = tête, *n.f.*
heart = cœur, *n.m.*
hello = bonjour
help, to = aider, *v.t.*
her = la, *pron*; to her = lui, *pron.*
her = son (*m.*), sa (*f.*), ses (*pl.*)
here = ici, *adv.*
here is, here are = voici
hi! = salut!
him = le, *pron*; to him = lui, *pron.*
his = son (*m.*), sa (*f.*), ses (*pl.*)
history = histoire, *n.f.*
holiday job = petit boulot, *n.m.*
holidays = vacances, *n.f.pl.*
home, to go = rentrer, *v.i.*
homework = devoirs, *n.m.pl.*
honest = honnête, *adj.*
hoovering, to do = passer l'aspirateur
horse = cheval (*pl.* chevaux), *n.m.*
horse-riding, to go = faire du cheval
hospital = hôpital, *n.m.*
hot = chaud(e), *adj.*
hot, to be = avoir chaud
hour = heure, *n.f.*
house = maison, *n.f.*
housework, to do = faire le ménage
how = comment, *adv.*
How do I get to ...? = pour aller à ...?
how much, how many = combien en de, *adv.*
hundred = cent, *adj./n.m.*
hungry, to be = avoir faim
hurry, to = se dépêcher, *v.r.*
hurt oneself, to = se faire mal, *v.r.*
husband = mari, *n.m.*

**I**

I = je (j' before a vowel or 'h')
I agree = d'accord
I would like = j'aimerais
I would like = je voudrais
icy = glacial, *adj.*
idea = idée, *n.f.*
identity = identité, *n.f.*
if = si
if = si, *conj.*
impressive = superbe, imposant, *adj.*
in (a country) = en, *prep.*
in (a town) = à, *prep.*
in = dans, *prep.*
in front of = devant, *prep.*
in order to = pour (+ *infin.*)
in the process of ...ing = en train de faire
incredible = incroyable, *adj.*
inhabitant = habitant, *n.m.*
initial = initiale, *n.f.*
intelligent = intelligent(e), *adj.*
interested in, to be = s'intéresser *v.r.* à
interesting = intéressant(e), *adj.*
introduce oneself, 'report', to = se présenter, *v.r.*
invent, to = inventer, *v.t.*
irritate, to = embêter, *v.t.*
irritating = embêtant, *adj.*
is = est
Is that right? = c'est ça?
it is = c'est
it is necessary to ... = il faut (+ *infin.*)
it is OK, I am fine etc. = ça va
it is your turn to ... = à toi de ...
it was = c'était
Italian = italien(ne), *adj.*
Italy = Italie, *n.f.*
its = son (*m.*), sa (*f.*), ses (*pl.*)

**J**

jacket = veste, *n.f.*
jam = confiture, *n.f.*
Japan = Japon, *n.m.*
Japanese = japonais(e), *adj.*
jeans = jean, *n.f.*
jeweller = bijoutier, *n.m.*
joke = blague, *n.f.*
juice (orange) = jus, *n.m.* (d' orange)

**K**

keep, look after, to = garder, *v.t.*
key-ring = porte-clés, *n.m.*
kind, nice = gentil (*m.*), gentille (*f.*), *adj.*

kindergarten = école maternelle, *n.f.*
kitchen = cuisine, *n.f.*
kitten = chaton, *n.m.*
knee = genou, *n.m.*
knife = couteau (*pl.* couteaux), *n.m.*
know (a fact), to = savoir, *v.t.* (irreg.)
know (a person or place), to = connaître, *v.t.* (irreg.)

## L

lab, laboratory = labo (laboratoire), *n.m.*
ladies and gentlemen = messieurs-dames, *n.pl.*
lake = lac, *n.m.*
large (i.e. big) = grand(e), *adj.*
late = en retard, tard, *adv.*
lay the table, to = mettre la table
lazy = paresseux (*m.*), paresseuse (*f.*), *adj.*
leaf through (a book) = feuilleter, *v.t.*
learn, to = apprendre, *v.t.* (irreg.; goes like prendre)
leave (e.g. a room), to = quitter, *v.t.*
left = gauche, *adj.*; on the left = à gauche
leg = jambe, *n.f.*
lend, to = prêter, *v.t.*
less = moins, *adv.*
lesson = leçon, *n.f.*, cours, *n.m.*
letter = lettre, *n.f.*
library, bookshelf = bibliothèque, *n.f.*
lie down, to = s'allonger, *v.r.*
life = vie, *n.f.*
light (colour) = clair(e), *adj.*
light (lamp) = lampe, *n.f.*
like, to = aimer, *v.t.*
listen to, to = écouter, *v.t.*
little, small = petit(e), *adj.*
live, inhabit, to = habiter, *v.t./v.i.*
living room = living, *n.m.*, séjour, *n.m.*
local wine = vin de pays, *n.m.*
long = long (*m.*), longue (*f.*), *adj.*
look after, to = s'occuper de, *v.r.*
look at, to = regarder, *v.t.*
look for, to = chercher, *v.t.*
look up = lever *v.t.* les yeux
love, to = adorer, *v.t.*
loyal = loyal, *adj.*
lucky, to be = avoir de la chance
lunch = déjeuner, *n.m.*
lunchtime = l'heure du déjeuner, *n.m.*

## M

mad (about) = fou (de) (*m.*), folle (de) (*f.*)
madam = madame, Mme, *n.f.*
made of (silver) = en (argent)
magazine = magazine, *n.m.*

make an appointment, to = prendre (irreg.) rendez-vous
man = homme, *n.m.*
manage, to = arriver à, *v.i.* (+ infin.)
many, lots of, a lot of = beaucoup de
map = carte (géographique), *n.f.*
marina = port de plaisance, *n.m.*
match up, to = faire correspondre
Maths = maths, *n.m.pl.*
me too (etc.) = moi aussi
me, as for me ... = moi
measure, to = mesurer, *v.t.*
meat = viande, *n.f.*
medical treatment = médicament, *n.m.*
medium = moyen (*m.*), moyenne (*f.*), *adj.*
medium build, of = de taille moyenne
meet up, to = se retrouver, *v.r.*
meet up, to; to have a meeting = se réunir, *v.r.*
menu (fixed-price) = menu, *n.m.*
menu (individual dishes) = carte, *n.f.*
mid-brown (hair) = châtain, *adj.*
milk = lait, *n.m.*
Miss = Mademoiselle, Mlle, *n.f.*
model (plane, car etc.) = maquette, *n.f.*
modern languages = langues vivantes, *n.f.pl.*
Monday = lundi, *n.m.*
money, silver = argent, *n.m.*
moor, to (e.g. a boat) = amarrer, *v.i. & t.*
more = plus, *adv.*; encore de (e.g. encore de)
mosquito = moustique, *n.m.*
mother = mère, *n.f.*
mother-in-law = belle-mère, *n.f.*
motorway = autoroute, *n.f.*
mountain = montagne, *n.f.*
mouse = souris, *n.f.*
mouth = bouche, *n.f.*
Mr = monsieur, M. / Mr., *n.m.*
Mrs = madame, Mme, *n.f.*
Mum, Mummy = maman, *n.f.*
music = musique, *n.f.*
mussels = moules, *n.f.*
mussels and chips = moules-frites, *n.f.*
my = mon (*m.*), ma (*f.*), mes (*pl.*)
mysterious = mystérieux, *adj.*

## N

name = nom, *n.m.*
naughty = méchant(e), *adj.*
near to = près de
necessary to, it is = il faut (+ infin.)
neck = cou, *n.m.*
neighbour = voisin(e), *n.m./n.f.*

nephew = neveu, *n.m.*

never = jamais (ne ... jamais), *adv.*

never = ne ... jamais, *adv.*

new (brand) = neuf (*m.*), neuve (*f.*), *adj.*

new (different) = nouveau (*m.*), nouvel (*m.* before a vowel or silent 'h'), nouvelle (*f.*), *adj.*

newcomer = nouveau venu, *n.m.*

news (e.g. family news) = nouvelles, *n.f.*

news (on t.v. etc.) = informations (infos), *n.f.*

newsagent = maison de la presse, *n.f.*

newspaper = journal (*pl.* journaux), *n.m.*

next day = lendemain, *n.m.*

next to = à côté de

nice = sympa (sympathique), *adj.*

nice, pleasant = agréable, *adj.*

niece = nièce, *n.f.*

night-club = boîte, *n.f.*

no = non, *adv.*

no longer, not any more = plus (ne ... plus)

no longer; not any more = ne ... plus, *adv.*

no one, nobody = personne (ne ... personne)

noon = midi, *n.m.*

no-one; nobody = (ne ...) personne, *compl. or subj.*

normal = normal(e), normaux (*pl.*), *adj.*

north = nord, *n.m.*

nose = nez, *n.m.*

not (in a verb expression) = ne ... pas

not = pas, *adv.*

not much = pas beaucoup, *adv.*

nothing = (ne ...) rien, *compl. or subj.*

nothing = rien (ne ... rien)

notice, to = remarquer, *v.t.*

noun = nom, *n.m.*

novel (book) = roman, *n.m.*

now = maintenant, *adv.*

number = numéro, *n.m.*

numerous = nombreux (*f.* nombreuse), *adj.*

## O

object (noun) = objet, *n.m.*

of = de, *prep.*

of the (*m. sing.*) = du, *prep.*

of the (*pl.*) = des, *prep.*

office = bureau, *n.m.*

often = souvent, *adv.*

old (not young) = vieux (*m.*), vieil (*m.* before vowel

old, former = ancien (*m.*), ancienne (*f.*), *adj.*

on (on top of) = sur, *prep.*

one (number) = un (*m.*), une (*f.*)

one, we = on

one's = son (*m.*), sa (*f.*), ses (*pl.*)

only = seulement, *adv.*

open air, in the = en plein air, *adv.*

opportunity; occasion = occasion, *n.f.*

opposite = en face (de)

optimistic = optimiste, *adj.*

or = ou, *conj.*

or silent 'h'), vieille (*f.*), *adj.*

orchard = verger, *n.m.*

other = autre, *adj.*

Ouch! = aïe!

our = notre (*pl.* nos)

overcoat = manteau, *n.m.*

overhead projector = rétroprojecteur, *n.m.*

owner = propriétaire, *n.m./n.f.*

## P

pair of jeans = jean, *n.m.*

pair of shorts = short, *n.m.*

pair of trousers = pantalon, *n.m.*

paper (piece of) = papier, *n.m.*

paperwork = documentation, *n.f.*

parents = parents, *n.m.pl.*

park = parc, *n.m.*

parrot = perroquet, *n.m.*

partner = partenaire, *n.m./n.f.*

party = boum, *n.f.*

pass, to = passer, *v.t.*

passage = passage, *n.m.*

past = passé, *n.m.*

pasta = pâtes (italiennes), *n.f.*

pastilles (medical) = pastilles, *n.f.*

peach = pêche, *n.f.*

pear tree = poirier, *n.m.*

pen friend = correspondant(e), *n.m./n.f.*

pencil = crayon, *n.m.*

pencil case = trousse, *n.f.*

perfectly = parfaitement

perhaps = peut-être, *adv.*

period of time = époque, *n.f.*

person = personne, *n.f.*

phone, to = téléphoner *v.i.*

photograph = photo, *n.f.*

physics = physique, *n.f.*

picture = image, *n.f.*

pity; shame = dommage, *n.m.*

plate = assiette, *n.f.*

play, to = jouer, *v.i.*

playground = cour, *n.f.*

please = s'il te/vous plaît

pocket = poche, *n.f.*

police station = commissariat, *n.m.;* (in the countryside: gendarmerie, *n.f.*)

polite = poli(e), *adj.*

pond = étang, *n.m.*
poor = pauvre, *adj.*
post (delivery of letters) = courrier, *n.m.*
Post Office = bureau de poste, *n.m.*
postman = facteur, *n.m.*
potato = pomme de terre, *n.f.*
potatoes, 'spuds' = patates, *n.f.pl. slang*
prefer, to = préférer, *v.t.*
prescription (*med.*) = ordonnance, *n.f.*
present (adj.) = présent(e), *adj.*
present at, to be = assister à, *v.t.*
present, to = présenter, *v.t.*
pretty = joli(e), *adj.*
previous day = veille, *n.f.*
price, prize = prix, *n.m.*
problem = problème, *n.m.*
promenade
promise to, to = promettre *v.i.* (irreg.) *de*
pullover, jumper = pull, *n.m.*
punish, to = punir, *v.t.*
pupil = élève, *n.m./n.f.*
puppy = chiot, *n.m.*
put (on), to = mettre, *v.t.* (irreg.)
put aside (i.e. save), to = mettre de côté
Pyramids = Pyramides, *n.f.*

### Q

quantity = quantité, *n.f.*
quarter past x = x et quart
quarter to x = x moins le quart
quickly = vite, *adv.*
quiet, gentle, soft = doux (*m.*), douce (*f.*), *adj.*
quite ... = assez (+ *adj.*), *adv.*

### R

rabbit = lapin, *n.m.*
radio = radio, *n.f.*
raise, to = lever, *v.t.*
ray (fish) = raie, *n.f.*
ray (of light) = rayon, *n.m.*
read, to = lire, *v.t.* (irreg.)
reading = lecture, *n.f.*
recall = se rappeler, *v.r.*
recognise, to = reconnaître, *v.t.*(irreg., like connaître)
red (hair) = roux (*f.* rousse), *adj.*
red = rouge, *adj.*
redhead = roux/rousse, *n.m./n.f.*
remember, to = se souvenir (de) (irreg., like venir), *v.r.*
rent, hire, to = louer, *v.t.*
repeat, rehearse, to = répéter, *v.t.*
research, to do = faire (irreg.) des recherches

rest = se reposer, *v.r.*
restaurant (slang) = resto, *n.m.*
restaurant = restaurant, *n.m.*
restaurant, small = bistrot, *n.m.*
ride (on horseback), to = monter *v.i. & t.* à cheval
right = droit(e), *adj.*; on the right = à droite
right, to be = avoir raison
river = rivière, *n.f.*
road = route, *n.f.*
roast beef = rosbif, *n.m.*
roller-skate, to = faire du roller
room = salle, *n.f.*
round (a place), to go = faire le tour de
roundabout (traffic system) = rond-point, *n.m.*
rubber, eraser = gomme, *n.f.*
ruler (Maths), rule = règle, *n.f.*
Russian = russe, *adj.*

### S

sad = triste, *adj.*
sales (in the shops) = soldes, *n.m.pl.*
salmon = saumon, *n.m.*
sample, to = déguster, *v.t.*
Saturday = samedi, *n.m.*
sausage = saucisse, *n.f.*
save (money), to = économiser, *v.t./v.i.*
say, to = dire, *v.t.* (irreg.)
scarf (headscarf) = foulard, *n.m.*
scarf (long) = écharpe, *n.f.*
school = école, *n.f.*; school (secondary) = collège, *n.m.*
school dining room = cantine, *n.f.*
schoolbag = cartable, *n.m.*
sciences = sciences, *n.f.pl.*
score (a point, a goal), to = marquer (un point,
Scotland = Ecosse, *n.f.*
screen = écran, *n.m.*
seafood = fruits de mer, *n.m.*
seafood platter = plateau de fruits de mer, *n.m.*
seat (in a bus, cinema, etc.) = place, *n.f.*
see you soon = à bientôt
see, to = voir, *v.t.* (irreg.)
seem, to = avoir l'air
sell, to = vendre, *v.t.*
semi-detached house = maison mitoyenne, *n.f.*
send = envoyer, *v.t.*
sentence, phrase = phrase, *n.f.,* expression, *n.f.*
settle in, to = s'installer, *v.r.*
Shall we go? = on y va?
shampoo = shampooing, *n.m.*
she = elle
shelter, to = abriter, *v.t.*

shirt = chemise, *n.f.*
shoe size = pointure, *n.f.*
shoes = chaussures, *n.f.pl.*
shop = magasin, *n.m.*; boutique, *n.f.*
short = court(e), *adj.*
short; in short = bref, *adj. & adv.*
shoulder = épaule, *n.f.*
shredded (e.g. carrot) = râpé, *adj.*
shutter (slatted) = persienne, *n.f.*
shutter = volet, *n.m.*
shy = timide, *adj.*
side; edge = côté, *n.m.*
silly = bête, *adj.*
silly things, to say = dire des bêtises
silver = argent, *n.m.*
since = depuis, *prep.*
sing, to = chanter, *v.t.*
sister = sœur, *n.f.*
sister-in-law = belle-sœur, *n.f.*
sit down, to = s'asseoir (irreg.), *v.r.*
sitting room = salle de séjour, *n.f.*, salon, *n.m.*
situated, to be = se trouver, *v.r.*
size = taille, *n.f.*
skate = patin, *n.m.*
skate-boarding, to go = faire du skate
skating rink = patinoire, *n.f.*
skating, to go = faire du patinage
skin = peau, *n.f.*
skirt = jupe, *n.f.*
slim = mince, *adj.*
small supermarket = superette, *n.f.*
small, little = petit(e), *adj.*
so (e.g. so big) = si, *adv.*
so (much) = tellement, *adv.*
so (so big) = si (si grand)
so, then, right then! = alors, *adv.*
so, therefore = donc, *conj.*
soap = savon, *n.m.*
socks = chaussettes, *n.f.pl.*
some (a few) = quelque(s)
some of (*pl.*) = du, de la, de l', des (see Summary
something = quelque chose
sometimes = quelquefois, *adv.*, parfois, *adv.*
son = fils, *n.m.*
son-in-law = gendre, *n.m.*
soon = bientôt, *adv.*
sorry = désolé(e), *adj.*
Sorry! = pardon!
sound = son, *n.m.*
south = sud, *n.m.*
space = espace, *n.m.*
Spain = Espagne, *n.f.*

Spanish (language) = espagnol, *n.m.*
Spanish = espagnol(e), *adj.*
sparkling = pétillant, *adj.*
speak, to = parler, *v.t.*
spoon = cuiller (cuillère), *n.f.*
sport = sport, *n.m.*
sports centre = centre sportif, *n.m.*
sporty = sportif (*m.*), sportive (*f.*), *adj.*
spread (on bread), to = tartiner, *v.t.*
square (in a town) = place, *n.f.*
staircase = escalier, *n.m.*
stay, to = rester, *v.i.*
steak and chips = steak-frites, *n.m.*
step-brother = demi-frère, *n.m.*
step-sister = demi-sœur, *n.f.*
stocky = costaud(e), *adj.*
stop (oneself), to = s'arrêter, *v.r.*
stop, to = arrêter, *v.t.*
story = histoire, *n.f.*
straw = paille, *n.f.*
street (long, wide) = boulevard, *n.m.*
street = rue, *n.f.*
strict = sévère, *adj.*
strip cartoon = bande dessinée, *n.f.*
stroll, to go for a = faire une balade
strong, good at = fort(e), *adj.*
study (office) = bureau, *n.m.*
study, to = étudier, *v.t.*
subject (school), matter = matière, *n.f.*
succeed (at), to = réussir *v.t. & i.* (à)
sudden; suddenly = soudain, *adj.& adv.*
suggest, to = proposer, *v.i.*
summer = été, *n.m.*
summer holidays = grandes vacances, *n.f.pl.*
Sunday = dimanche, *n.m.*
sunny = ensoleillé, *adj.*
sure, certain, safe = sûr(e), *adj.*
surgery; cabinet = cabinet, *n.m.*
sweep, to = balayer, *v.t.*
sweet (cute) = mignon(ne), *adj.*
sweet (noun) = bonbon, *n.m.*
sweet things = sucreries, *n.f.pl.*
swim, to = nager, *v.i.*
swimming pool = piscine, *n.f.*
Swiss = suisse, *adj.*
Switzerland = Suisse, *n.f.*

**T**
table = table, *n.f.*
table tennis = ping-pong, *n.m.*
take, to = prendre, *v.t.* (irreg.); (i.e. eat/drink), to =
    prendre, *v.t.* (irreg)

take advantage of, to = profiter *v.i.* de
take out, to = sortir *v.t.* (irreg.)
tanned = bronzé(e), *adj.*
tea (4.00 pm snack) = goûter, *n.m.*
tea (drink) = thé, *n.m.*
teacher = professeur, *n.m.*; (slang) = prof, *n.m.*
technology = technologie, *n.f.*
teenager = adolescent(e), *n.m./n.f.*
television = télé(vision), *n.f.*
tell, to = raconter, *v.t.*
tennis = tennis, *n.m.*
thank you = merci
thanks to = grâce à
that (that thing) = ça
that one (*f.*) = celle-là, *pron.*
that one (*m.*) = celui-là, *pron.*
that; it = ça (*short for* cela)
that's it!, that's done! = ça y est!
the = le (*m.*), la (*f.*), l' (s. + vowel), les (*pl.*)
their = leur (*m./f. sing.*), leurs (*m./f. pl.*), *adj.*
them = les, *pron;* to them = leur, *pron.*
theme park = parc d'attractions, *n.m.*
there = là
there is, there are (describing) = il y a; (pointing out) = voilà
there you are! = voilà!
these, those (+ noun) = ces (*pl.*)
they (*f.*) = elles
they (*m.*) = ils
thin, slim = mince, *adj.*
think (carefully), to = réfléchir, *v.i.*
think, to = penser, *v.i.*
thirsty, to be = avoir soif
this one (*f.*) = celle-ci, *pron.*
this one (*m.*) = celui-ci, *pron.*
this, that (+ noun) = ce (*m.*), cet (*m.* + vowel),
throat = gorge, *n.f.*
thumb = pouce, *n.m.*
Thursday = jeudi, *n.m.*
ticket = billet, *n.m.*
ticket window, counter = guichet, *n.m.*
tidy, put away, to = ranger, *v.t.*
tie = cravate, *n.f.*
time = fois, *n.f.*
time = temps, *n.m.*
timetable = emploi du temps, *n.m.*
tired = fatigué(e), *adj.*
to = à, *prep.*
to depart; to set off = partir (irreg.), *v.i.*
to hurt = faire (irreg.) mal à
to mow; to trim (the lawn) = tondre *v.t.* (la pelouse)
to open = ouvrir (irreg.), *v.t.*

to pay for = payer, *v.t.*
to roll; to go along (on wheels) = rouler, *v.i*
to show = montrer, *v.t.*
to surprise = étonner, *v.t.*
to the (*m.*) = au, *prep.*
to the (*pl.*) = aux, *prep.*
to the house of *x* = chez *x*
to worry = s'inquiéter, *v.r.*
today = aujourd'hui
tomorrow = demain
tone = ton, *n.m.*
too (also) = aussi, *adv.*
too (too much) = trop, *adv.*
too much ..., too many ... = trop de ...
tooth = dent, *n.f.*
toothpaste = dentifrice, *n.m.*
tourist office = office du tourisme, *n.m.*
towards = vers, *prep.*
towel = serviette, *n.f.*
town centre = centre-ville, *n.m.*
town hall = mairie, *n.f.,* hôtel de ville, *n.m.*
traffic lights = feux, *n.m.pl.*
train = train, *n.m.*
train station = gare *n.f.* SNCF
trainers = baskets, *n.m.pl.*; tennis, *n.m.pl.*
translate, to = traduire, *v.t.* (irreg.)
treasure = trésor, *n.m.*
tree = arbre, *n.m.*
trousers (pair of) = pantalon, *n.m.*
trout = truite, *n.f.*
true = vrai(e), *adj.*
try (to), to = essayer (de + infin.), *v.i.*
t-shirt = t-shirt, *n.m.*
Tuesday = mardi, *n.m.*
tummy = ventre, *n.m.*

# U

unbearable = insupportable, *adj.*
uncle = oncle, *n.m.*
under = sous, *prep.*
underground (adjective) = souterrain, *adj.*
underground train (noun) = métro, *n.m.*
underground train station = station de métro, *n.f.*
understand, to = comprendre, *v.t.* (irreg.)
undress, to = se déshabiller, *v.r.*
unearth, dig out, to = dénicher, *v.t.*
unfortunately = malheureusement, *adv.*
unique = unique, *adj.*
unit = unité, *n.f.*
united = uni(e), *adj.*
United States = États-Unis, *n.m.pl.*
until, up to, as far as = jusqu'à, *prep.*

update, to = mettre (irreg.) / remettre à jour
us = nous
useful = utile, *adj.*
useless (at something) = nul (*m.*), nulle (*f.*), *adj.*
useless (unfit for use) = inutile, *adj.*
usually = d'habitude

## V

validate a ticket, to = composter *v.t.* un billet
valley = vallée, *n.f.*
very = très, *adv.*
violet = violet (*m.*), violette (*f.*), *adj.*
violin = violon, *n.m.*

## W

wait, to = attendre, *v.t.*
wake up, to = se réveiller, *v.r.*
wake, to = réveiller, *v.t.*
walk the dog, to = promener le chien
walk, to go for a = se promener, *v.r.*; faire une promenade
want, to = vouloir, *v.t.* (irreg.)
war = guerre, *n.f.*
wash (oneself), to = se laver, *v.r.*
wash, to = laver, *v.t.*
washing, to do = faire la lessive
washing-up, to do = faire la vaisselle
wastepaper bin = corbeille, *n.f.*
weak = faible, *adj.*
wear, to = porter, *v.t.*
Wednesday = mercredi, *n.m.*
week = semaine, *n.f.*
weekend = week-end, *n.m.*
weigh, to = peser, *v.t./v.i.*
welcome = bienvenue, *n.f.*
welcome, to = accueillir (irreg.)
well behaved = sage, *adj.*
well, good = bien
west = ouest, *n.m.*
what ...? = qu'est-ce que ...?
what a fiasco! = quelle histoire! quel désastre!

what is the time? = quelle heure est-il?
when = quand, *adv.*
where = où, *adv.*
which? (+ noun) = quel (*m.*), quelle (*f.*),
whilst, while = pendant que, *conj.*
white = blanc (*m.*), blanche (*f.*), *adj.*
who = qui
who, which? = qui, quels (*m.pl.*), quelles (*f.pl.*)?
why = pourquoi, *adv.*
wife = femme, *n.f.*
win, to = gagner, *v.t.*
window = fenêtre, *n.f.*
wipe, to = essuyer, *v.t.*
with = avec, *prep.*
with best wishes (on letter) = amicalement, *adv.*
wonderful = merveilleux, *adj.*
word = mot, *n.m.*
work, to = travailler, *v.i.*; (of machinery) = marcher, *v.i.*
write to me soon! (on letter) = écris-moi vite!
write, to = écrire, *v.t.* (irreg.)
wrong (incorrect) = faux (*m.*), fausse (*f.*), *adj.*
wrong, to be = avoir tort

## Y

year = an, *n.m.*, année, *n.f.*
yellow = jaune, *adj.*
yes = oui, *adv.*
yes! (in disagreement) = si! (after negative form)
you = vous (*polite* and *pl.*), tu, toi (*familiar sing.*)
young = jeune, *adj.*
young ladies = mesdemoiselles, *n.f.*
young man = jeune homme, *n.m.*
younger, youngest = cadet (*m.*), cadette (*f.*), *adj.*
your (when using 'tu') = ton (*m.*), ta (*f.*), tes (*pl.*)
your (when using 'vous') = votre (sing.), vos (*pl.*)

## Z

zoo = zoo, *n.m.*